MARIE,
L'ANGE REBELLE

GONZAGUE SAINT BRIS

MARIE,
L'ANGE REBELLE

ÉDITIONS FRANCE LOISIRS

Édition du Club France Loisirs,
avec l'autorisation des Éditions Belfond

Édition France Loisirs,
123, boulevard de Grenelle, Paris
www.franceloisirs.com

ISBN : 978-2-298-00993-4

À toi, mon grand Amour

Souvent, deux amants s'éprennent l'un de l'autre pour des qualités qu'ils n'ont pas, et se quittent pour des défauts qu'ils n'ont pas davantage.

Marie D'AGOULT

Vous n'êtes pas la femme qu'il me faut ;
vous êtes celle que je veux.

Franz LISZT

Extrait de *Rêve d'amour* de Franz Liszt

RÊVES D'AMOUR

(LIEBESTRÄUME)

HOHE LIEBE
Gedicht von Uhland

In liebesarmen ruht ihr trunken,
Des lebens Früchte winken euch;
Ein Blick nur ist auf mich gesunken,
Doch bin ich vor euch allen reich.

Das Glück der Erde miss' ich gerne
Und blick', ein Märtyrer, hinan,
Denn über mir in goldner Ferne
Hat sich der Himmel aufgethan.

AMOUR CÉLESTE

Enivrés, aux bras de l'amour vous reposez,
tous les fruits de la vie s'offrent à vous;
un regard seulement est descendu sur moi,
et cependant je suis plus fortuné que tous.

Volontiers j'abandonne tout bonheur terrestre
et je regarde en haut, comme un martyr,
car au-dessus de moi, dans le lointain vermeil
s'est entr'ouvert le ciel.

Ier Nocturne

FRANZ LISZT

Paris, 4, Place de la Madeleine.

I

L'apparition

Je dis une apparition, faute d'un autre mot
pour rendre la sensation extraordinaire
que me causa, tout d'abord, la personne
la plus extraordinaire que j'eusse jamais vue.

Marie D'AGOULT

À Paris, en ce mois de décembre 1832, sous un ciel mauve, sur le coup de huit heures du soir, elle achevait sa toilette dans l'intimité de la chambre de son hôtel situé à l'angle du quai Malaquais et de la rue de Beaune. Demeure éminemment aristocratique s'il en fut, puisque, au temps de la « douceur de vivre », elle était la résidence du maréchal-duc de Mailly dont les quatre filles avaient été les maîtresses de Louis XV. Ce n'était pas si ancien, en cette époque où la France était encore une monarchie et où nombre de Français étaient nés au XVIIIe siècle.

Comme il se doit, c'était une véritable cérémonie que les derniers préparatifs d'une grande dame parisienne avant de sortir. Déjà, elle avait revêtu son ample robe de soie violette et orné son cou et ses oreilles de ses plus beaux diamants. Elle laissait à présent sa caméristе la coiffer et ajuster comme toujours les lourds bandeaux qu'imposait la mode et qui mettaient si bien en valeur ses grands yeux bleus, son teint pâle et la régularité parfaite des traits de son visage. En silence, la jeune fille finissait par lisser les beaux cheveux blonds ; en silence, sa maîtresse se contemplait dans le miroir de Venise avec cet air d'ennui dont elle ne pouvait se départir, sans se demander si, au fond, elle était heureuse ou non de se rendre chez son amie la marquise Le Vayer, née Renée de Maupeou.

Les conventions du monde la fatiguaient, et plus le temps passait, plus elle se demandait si cette vie valait d'être vécue. À vingt-huit ans, elle était lasse de tout puisque justement elle avait tout, la fortune, la beauté, la considération. Chacun, à Paris, enviait son bonheur, les esprits superficiels ne pouvant imaginer que, l'espace d'une seconde, celle qui avait été naguère l'un des plus beaux partis de France, aujourd'hui épouse d'un officier général, pût rêver à un autre destin que le sien. À l'idée des hommages que les hommes lui prodiguaient et de la jalousie qu'elle suscitait chez les femmes, elle se prit à sourire. Car elle seule savait qu'elle n'était pas heureuse, mais il eût été du dernier mauvais goût de partager ce secret avec quiconque. Pour les autres, avec son surprenant port de reine désincarnée, sa fortune intarissable et sa culture encyclopédique, elle était d'acier. Pourtant, Marie savait que sa vie n'était que faiblesse, impuissance et incertitudes !

Avait-elle jamais été satisfaite de son sort ou s'apitoyait-elle trop sur elle-même ? À ce dilemme, elle répondait par des souvenirs, ceux de son enfance et de son adolescence, lorsque, libre et insouciante, les questions et les doutes n'assaillaient pas encore la douce et tendre Marie Catherine Sophie de Flavigny. Souvent, des images lui revenaient de son Allemagne natale, dans la ville de Francfort-sur-le-Main, et de son grand-père maternel, le richissime banquier Johann Philipp Bethmann, qui recevait Goethe à sa table et dirigeait sa maison en patriarche. Elle se revoyait tenant sa partition, en formation de musique de chambre avec son frère et ses cousins ou courant avec eux dans le vaste jardin de cette vieille cité médiévale où, jadis, les empereurs venaient se faire couronner. Elle repensait à son père, le jovial vicomte Alexandre de Flavigny, un émigré de la Révolution qui, outre-Rhin, avait séduit sa mère, ou plus exactement s'était laissé séduire par elle. Car dans cette famille, c'étaient les femmes qui prenaient l'initiative. Un des exemples les plus flagrants de ce trait de caractère est la façon dont la demi-sœur de Marie, Augusta Bussmann – la fille du premier lit de sa mère – jeta son despotique amour, dès l'âge de seize ans, sur le plus beau garçon de son temps, le poète à la claire figure Clemens Brentano. Elle décida carrément de l'épouser et, pour ce faire, passa à l'acte de la façon la plus brutale en imaginant un piège sans subtilité mais efficace. Elle l'invita un soir à faire avec elle une romantique balade en voiture à cheval. Alors que la nuit venait de tomber, elle le pria de monter à ses côtés. Le poète, stupéfait, découvrit la somptueuse tenue de la dame, accompagnée de deux témoins... Elle était ravissante dans sa robe de mariée ! Fouette cocher, la voiture les emporta au grand galop vers Cassel, où tout avait été préparé pour la célébration fatale. Enivré par la fougue de cette fiancée à la candidature si spontanée mais atterré par la réalité qui se resserrait sur lui, le poète hébété ne dit plus rien et accepta par son silence ces noces impromptues. Un début dans la rapidité ne présageait pas automatiquement un échec sur la distance. Cependant, très vite, les choses tournèrent mal entre la mariée trop pressée et le poète trop placide. À tel point que ce fut la haine qui vint se substituer à ce ballet chorégraphique de la mise en scène d'un amour absolu. Et dans le cœur du poète, la montée des injures prit la place de sa tendance naturelle à la versification amoureuse. Brentano traita son épouse « d'épilepsie ambulante » et ne se gêna plus pour écrire bientôt à son beau-frère ces mots injurieux : « Cette sale bête est ma ruine de corps, d'esprit et de fortune. » Jamais Marie n'aurait osé une telle manœuvre, jamais elle n'agira ainsi avec Franz Liszt, le grand amour de sa vie. Mais dans la famille Bethmann, les filles savaient prendre les devants. Malgré tout, Marie, l'ange rebelle, est du même sang, avec quelque chose de déterminé et d'implacable dans son extrême douceur.

Auprès de Marie jeune fille, il y avait aussi le compassé M. Abraham, embauché pour lui enseigner les règles de l'étiquette à sa venue en France, comme il l'avait jadis fait avec Marie-Antoinette. Une installation qui avait constitué sa première rupture, elle qui ne sut jamais si elle devait se considérer comme une Allemande ou une Française, une Bethmann ou une Flavigny, une fille de Werther ou de Voltaire, une aristocrate ou une révolutionnaire, plutôt comme un mélange de tout cela. Qui compta le plus ? Sa mère et sa bonne allemandes, « qui [lui] parlaient dans leur langue, [lui] faisaient lire les *Contes* de Grimm et réciter de mémoire les *Fables* de Gellert ou les monologues de Schiller » ? Ou son père, « d'un naturel plus gaulois », qui l'invitait chaque soir dans sa chambre, la fenêtre ouverte sur les jardins, pour lui dispenser ses leçons, « sans pédantisme, sans réprimandes », ou lui faisait faire des dictées choisies chez Montaigne et La Fontaine ? Et il n'était pas jusqu'aux domestiques qui ne partageassent cette ambiguïté : « Bonne allemande, chasseur habillé à la mode de Vienne, la plume de coq au chapeau, le coutelas au ceinturon, cuisinière viennoise excellant dans les sucreries, mais aussi ménagère tourangelle qui serrait sous clé les provisions et emplissait son tablier d'enfant de pruneaux de Tours, de poires tapées, d'alberges confites et autres friandises du cru. » Qui pouvait comprendre cela, sinon Chateaubriand ? Lors de son passage à Francfort, alors qu'il se rendait à Berlin pour prendre possession de son poste d'ambassadeur, n'avait-il pas été reçu chez les Flavigny et remarqué le trouble fascinant de la fille de la maison autant que sa grande beauté ? Mais il n'avait fait que passer. Il était un homme d'âge mûr, et elle presque une enfant.

Un dernier coup de peigne, un ultime diamant réajusté l'arrachèrent à ses douces rêveries. La caméristе la libérait sans signer ce qui était pourtant un chef-d'œuvre.

— Vous pouvez vous coucher, Adèle, je ne sais pas à quelle heure je rentrerai.

— Merci, Madame, répondit la jeune fille, en esquissant une révérence après avoir posé sur les épaules de sa maîtresse un long manteau de satin doublé de zibeline.

Devant la grande psyché d'acajou, Marie contempla une dernière fois sa mince silhouette disparaissant dans les fourrures et son profil irréel de fée de légende germanique qui, lorsqu'elle était adolescente, avait séduit le jeune comte de Lagarde, son premier amour. Un amour si secret que nul, dans leur entourage, n'avait pris conscience que le coup de foudre réciproque entre ces deux timides allait être décisif quant à leur avenir. Pensait-il encore à elle, se demanda-t-elle ? Elle, elle pensait souvent à lui, tout en se répétant cette formule, comme un talisman : « Le bonheur n'est pas pour moi. » À quoi bon ressasser le passé ? Il était temps de partir, de continuer à faire semblant de vivre, ne serait-ce que pour Louise et Claire, ses chères enfants qui, il y avait une heure, conduites par leur gouvernante, étaient venues l'embrasser avant de se coucher, avaient raconté leur journée et fait part de leurs progrès au piano, seul sujet sur lequel Marie était intraitable. N'avait-on pas agi de même à son endroit ?

Pour elle, l'art et le savoir étaient les seuls garants de l'émancipation des femmes, à une époque et dans une société qui, reprenant le Code Napoléon, ne leur accordaient aucun droit, les assujettissant tantôt à leur père, tantôt à leur frère, tantôt à leur mari, tantôt à leur fils. À quoi servait-il de parler parfaitement le français, l'allemand, l'anglais et l'italien, de traduire impeccablement le latin, de pratiquer avec talent le piano, le chant et l'art de la transcription, d'avoir lu autant d'ouvrages qu'un professeur d'université, y compris les plus austères traités de philosophie, de s'intéresser au droit public et à la vie politique, pour n'être qu'un citoyen de seconde zone privé de droits civiques ? On ne lui demandait qu'à être belle et bonne épouse. C'était un peu court pour combler une vie !

En bas, son mari l'attendait pour la saluer avant son départ pour son cercle, où il devait retrouver ses officiers pour une soirée de bon ton, soirée où l'on commenterait discrètement l'actualité politique entre deux cognacs et quelques cigares, avant de rentrer de bonne heure. Car le lendemain, il y avait inspection des troupes et il fallait être en forme, ou tout au moins le paraître. Le devoir avant tout ! Comme elle, il menait sa vie de son côté sans rien demander, se disant qu'il avait eu de la chance d'épouser cette femme exceptionnelle, encore étonné qu'à vingt-deux ans à peine elle eût accepté de lui accorder sa main, sans comprendre que c'était précisément sa totale insignifiance qui l'avait non pas séduite mais rassurée, et lui avait donné sans doute la force de repousser tous ceux à qui sa beauté, son intelligence et sa dot avaient fait tourner la tête. Ainsi ce prétentieux Alfred de Vigny, cet ambitieux Émile de Girardin, cet ennuyeux Alexis de Tocqueville ou ce superficiel Astolphe de Custine – lequel pourtant n'aimait pas les femmes – qui hantaient aujourd'hui leur salon et dont la célébrité était inversement proportionnelle à sa médiocrité à lui, le comte Charles-Louis d'Agoult de Montmaur. Naguère aide de camp de Latour-Maubourg, sous l'Empire, porteur d'un des premiers noms du Languedoc, il avait de plus raté sa carrière. Fidèle à l'ancienne dynastie, qui avait signé son contrat de mariage et promis pour sa femme une charge de dame d'atours de la dauphine et pour lui un siège à la Chambre des pairs, il s'était retrouvé écarté par la nouvelle au lendemain de cette funeste révolution de 1830 qu'ils avaient contemplée depuis leurs fenêtres. Légitimiste, le comte avait été horrifié. Marie, elle, s'était plutôt montrée intéressée, et peu choquée, bien que ces événements la privassent de son poste auprès de la duchesse d'Angoulême. Mais avait-elle envie de servir l'austère fille du pauvre Louis XVI ? Probablement pas ! « Quelle sorte de femme ai-je donc épousée ? » se demandait Charles d'Agoult sans oser poser de questions. Ce fut déjà chez Marie un premier reniement, non seulement des convictions de son mari, mais de celles de toute sa famille dont le château tourangeau fut longtemps le rendez-vous des ultras qui s'étaient réjouis de la chute de l'usurpateur et du retour du roi légitime. Jamais le vicomte de Flavigny n'avait accepté les ouvertures réitérées du gouvernement impérial, au nom de sa fidélité aux Bourbons. Marie, dont toute l'enfance avait été bercée par les héroïques récits des guerres de Vendée, allait un jour rejeter cette tradition en s'émancipant, d'abord par l'Amour, ensuite par l'Idée, reprenant de ce fait la tradition philosophique allemande au détriment du panache aristocratique français. Bien sûr, elle avait beaucoup aimé son père, un peu moins sa mère, mais devait-elle pour autant partager leurs idées ? Elle n'en était pas certaine.

De haute taille, impeccablement sanglé dans son uniforme selon son habitude, portant encore beau mais toujours un peu raide et déjà grisonnant, Charles l'attendait au salon. Il achevait de lire *Le Constitutionnel* lorsque, aérienne comme une sylphide, elle arriva au pied de l'escalier. Aussitôt, il se leva, baisa sa main et s'enquit par politesse de sa destination.

— Oh, mon ami, une corvée. J'ai promis à Mme Le Vayer de passer une ou deux heures chez elle. Ce n'est guère amusant, comme vous vous en doutez, mais je ne puis me dédire et refuser à présent ce à quoi je me suis engagée un peu trop vite.

— Je vous souhaite cependant de passer une bonne soirée, ma chère. Moi-même je ne vais au cercle que par devoir, vous le savez bien.

Comme chaque soir, ils se croisaient ainsi, sans humeur, sans rien éprouver l'un pour l'autre sinon l'estime qu'on se doit entre gens du même monde, une amitié d'époux liés par l'habitude. Un astrologue qui se serait amusé à calculer leur thème astral y aurait trouvé matière à réflexion : tous deux étaient Capricorne, un signe marqué par un sens élevé du devoir et une idée d'absolu, mais aussi par le fait que ses natifs sont prisonniers de leur pudeur, de leur sécheresse et de leur froideur, comme la neige d'hiver enveloppant la terre lors de leur venue au monde, ce qui fait d'eux des êtres incapables de se confier, de s'abandonner, de se laisser aller. À moins qu'un jour, quelque phénomène extraordinaire, quelque force obscure ne réveille le volcan endormi qui sommeille en eux. Quelques mois plus tôt, lors d'un séjour dans les Alpes, Marie n'avait-elle pas tenté de se jeter dans le vide, sous les yeux de son mari qui l'avait rattrapée de justesse ? Personne n'avait rien su de cet incident, à l'exception du Dr Coindet, spécialiste des aliénés, qui les avait rassurés en expliquant que parfois, l'humeur des femmes... En avaient-ils parlé entre eux ? Même pas !

Depuis la naissance de leur cadette, du reste, ils ne faisaient rien d'autre que se croiser, faisant appartement à part et ne se rencontrant que lors des quelques grands dîners qu'ils donnaient, chacun assis à un bout de l'interminable table entourée de convives, s'apercevant à peine derrière la forêt des candélabres et des surtouts de porcelaine. Sans qu'aucune explication ne fût avancée, sans même qu'un reproche ne fût esquissé, ils avaient reconquis leur liberté sans avoir eu besoin de se justifier. C'était ainsi dans ce monde-là. La fortune de Marie – un million de francs de dot ! – avait grandement amélioré l'ordinaire de Charles. Il lui en demeurait reconnaissant, ainsi que des deux enfants qu'elle lui avait donnés, même si, hélas ! aucun des deux n'était de sexe mâle. Recommencer à fréquenter sa couche pour engendrer l'héritier du nom ? Il ne fallait pas y compter. Elle était fatiguée, lui aussi du reste, qui comptait seize années de plus qu'elle. Dieu leur avait refusé cette faveur, il fallait s'incliner. Désormais, il la laissait à sa cour d'admirateurs qui lui parlaient musique, littérature et art, trois sujets qui le laissaient totalement froid et qu'il n'osait jamais aborder, par peur de dire une sottise ou de commettre un impair.

Qu'était-il pour elle ? Son mari, bien sûr, d'abord l'homme dont elle portait le titre, puis le père de ses filles, et enfin le général, qui en caserne commandait les hommes mais dans son hôtel ne faisait que de la figuration, une sorte de mélange de statut social et mondain. Au printemps, le militaire partait aux manœuvres, et à l'automne, à la chasse avec son chien Malcolm. Puisqu'il fallait un mari, autant que ce fût lui, toujours discret, toujours affable, n'élevant jamais la voix, ne possédant aucun vice, pas même celui du jeu. Il la respectait et la laissait libre. De cela, elle lui était reconnaissante. En ces années 1830, c'était un ménage parfait menant une vie idyllique. Forcément, il ne se passait jamais rien chez eux ! Au fond, avait-elle véritablement aimé un autre homme que son père, mort déjà depuis plusieurs années ? Son jeune frère, Maurice, trop occupé par sa carrière de diplomate, ne comptait pas. Mais qu'est-ce qu'un homme au fond, sinon un inconnu totalement incapable de comprendre ce qu'est une femme ?

À la fin de sa vie, Marie revint sur cette union de convention et ce gouffre d'incompréhension : « Par quelle aberration de la volonté en étais-je venue, si jeune encore, à prendre pour époux un homme que je connaissais à peine et dont toute la personne formait avec la mienne une dissonance telle que les moins prévenus s'en apercevaient tout d'abord ? »

Ils se souhaitèrent naturellement le bonsoir, et chacun partit dans sa direction, qui n'était jamais la même.

À présent, la voiture roulait doucement, ballottée par les pavés glissants dans l'hiver parisien, éclairant à son passage des rues presque désertes et assombries par la nuit, à l'heure où seuls les gens du peuple rentraient chez eux, emmitouflés de laine pour se protéger du froid, où les soldats des garnisons de la capitale prenaient leur quart pour la surveillance des bâtiments officiels, à l'heure encore où le roi Louis-Philippe et sa famille sortaient sans doute de table pour tenir leur cour aux Tuileries. Sur les grands boulevards, la jeunesse commençait à prendre d'assaut les cafés, et dans les théâtres le rideau se levait. Marie savait, bien sûr, que sur la rive droite, la vie reprenait son cours chaque soir à l'heure des lampions et des orchestres, mais elle ne connaissait pas ce monde interdit aux dames de son rang qui, malgré leur désir caché, n'osaient s'y rendre, sauf peut-être à l'Opéra, et encore, étroitement chaperonnées. Pour elle, son univers se bornait à cette sorte de cloître qu'était la rive gauche de la Seine, le noble, pesant et silencieux faubourg Saint-Germain dont les lumières ne s'éclairaient que pour illuminer les salons où, comme dans une incessante noria, on rencontrait toujours les mêmes têtes. Sauf peut-être chez la marquise, plus libre que d'autres, qui se permettait parfois d'inviter à ses soirées des artistes ou des écrivains. Ainsi, avec Rossini, la Malibran, Lamartine, Eugène Sue ou Charles Sainte-Beuve, l'air y était un peu plus pimenté qu'ailleurs et apportait un souffle sulfureux qui troublait les femmes et amusait les hommes. Y aurait-il quelque surprise ce soir ? se demandait Marie qui, depuis le matin, avait cru déceler en elle un indicible sentiment d'angoisse et d'exaltation.

La voiture s'était garée dans la cour de l'hôtel de son amie, rue du Bac. Marie attendit quelques secondes que le valet de pied, vêtu à la française, s'empressât d'ouvrir la portière et de dévider l'escalier pliant permettant à la passagère de descendre. Elle pénétra dans le vestibule, confia sa pelisse et, maintenant de sa main droite les plis de sa robe, se dirigea doucement vers la marquise qui accueillait ses invités à l'entrée des salons. Nullement troublées par le bruit confus des conversations et des musiciens qui accordaient leurs instruments, les deux femmes s'embrassèrent :

— Ah ! très chère, j'étais si impatiente de vous voir, souffla la replète Mme Le Vayer en esquissant un baiser. Vous savez que nous aurons ce soir un chœur de Weber. Une splendeur !

— Je m'en délecte d'avance, répondit Marie, avant de faire son entrée, plus aérienne que jamais, indifférente aux dizaines de regards concupiscents jetés sur elle par les « lions » assemblés. Elle se contenta de prodiguer ses sourires aux douairières les plus médisantes pour contrecarrer à l'avance toute l'appréhension que suscitaient souvent son immatérielle beauté et l'indépendance de son esprit, lui faisant écrire un jour à sa mère : « Je trouve la société composée de tant de nullités que cela ne m'amuse pas beaucoup. »

Le silence se fit bientôt. L'assemblée prit place. Les premières notes s'élevèrent dans le salon pour se perdre dans les boiseries Louis XV, les lourds miroirs à cadres dorés, les bouquets de fleurs glissés dans les vases de Sèvres qu'éclairaient les bougies de cire immaculées dans les chandeliers d'argent. Le public appréciait-il véritablement l'impeccable exécution de l'œuvre ? On comptait peu de véritables mélomanes à Paris, et seule Marie, à défaut de son hôtesse, était à même d'apprécier les subtilités, la grâce, la couleur et l'expressionnisme wébériens, si caractéristiques de ce romantisme germanique dans lequel elle avait baigné depuis sa naissance. Au bout de quelques minutes toutefois, malgré la concentration qu'elle manifestait dans ce genre de situations, une irrésistible force intérieure lui intima l'ordre de se tourner du côté droit. Pourquoi ? Elle n'aurait pas su le dire.

« La porte s'ouvrit et une étrange apparition s'offrit à mes yeux. Je dis apparition, faute d'un autre mot pour rendre la sensation extraordinaire que nous causa tout d'abord la personne la plus extraordinaire que j'eusse jamais vue. » Cette silhouette qui s'était glissée dans le salon était celle d'un jeune prodige conforme, par sa rayonnante figure, aux portraits que tant de peintres allaient lui dédier, immortalisant sa grande beauté, de Mérienne à Scheffer. Tout en lui était aérien, il était dans sa démarche à la fois impétueux et doux, audacieux et plein de grâce. Sa façon de se mouvoir visitait le rêve des femmes alors qu'elles étaient encore éveillées. Mais si Marie donna à tous l'impression d'une majesté tranquille, cette fois, celle qu'on définissait comme « six pieds de neige sur vingt pieds de glace » fut profondément troublée par l'éclair émeraude de ce regard dans la pâleur d'un si beau visage. Cette apparition, elle se plut à la détailler avec son style inimitable : « Une taille haute, mince à l'excès, un visage pâle, avec de grands yeux d'un vert de mer où brillaient de rapides clartés semblables à la vague quand elle s'enflamme, une physionomie souffrante et puissante, une démarche indécise et qui semblait glisser plutôt que se poser sur le sol, l'air distrait, inquiet et comme d'un fantôme pour qui va sonner l'heure de rentrer dans les ténèbres, tel je voyais devant moi ce jeune génie, dont la vie cachée éveillait à ce moment des curiosités aussi vives que ses triomphes avaient naguère excité d'envie. »

Ange ou démon ? De cet instant, la comtesse d'Agoult, tout en continuant de fixer les musiciens, ne put s'empêcher d'observer à la dérobée ce séduisant félin traversant la jungle du faubourg Saint-Germain, déjà prêt – mais elle ne s'en doutait pas encore – à labourer son cœur de ses griffes acérées. Ses yeux, à demi dissimulés derrière son éventail, ne pouvaient bientôt plus se détacher de cet individu mystérieux qui, s'apercevant qu'il était épié, se mit à s'intéresser à son tour à la belle inconnue. Et lorsque le chœur s'acheva, sans avoir été encore présentés, ils n'étaient déjà plus tout à fait des étrangers. Il ne fit cependant rien pour se rapprocher d'elle, au contraire sembla même la fuir, provoquant chez la comtesse un dépit qu'il avait peut-être espéré. De toute manière, le jeune homme ne figurait pas parmi les invités de la marquise mais parmi les artistes engagés, c'est-à-dire à peine au-dessus des domestiques ou des fournisseurs. À présent, le voilà qui prenait place devant le piano dans son impeccable habit noir qui mettait si bien en valeur sa minceur, et plus encore cette crinière blonde dont la longueur, presque féminine, troublait les jeunes filles. Surtout lorsqu'il la lissait de sa main droite d'un geste nerveux, quand elle avait tendance à retomber sur son visage à l'ovale parfait, au nez d'éphèbe grec, à la bouche singulièrement sensuelle. Dès que ses longues mains commencèrent à parcourir le clavier, le silence s'imposa à tous. Personne n'osait proférer le moindre mot tant ce qu'on entendait était prodigieux, inouï, si différent de tout ce qu'on avait jusque-là écouté.

Ce n'était pas une partition – du reste il n'en avait pas devant lui ! –, mais une sorte d'improvisation à vif qui alla crescendo et se poursuivit par une tempête de notes, où toutes les inspirations se bousculaient, depuis l'ordonnance classique jusqu'à la sauvagerie des rythmes tziganes, laissant le public pantois, ébahi et médusé devant tant d'audace mêlée à une telle sûreté de technique. Cette musique unique semblait parler directement aux sens, au cœur et à l'âme, provoquant la rêverie, la surprise, l'émotion et les larmes. Mais ces doigts volant sur le clavier avaient aussi quelque chose de diabolique, aussi démoniaque que ce regard vert plongé dans un monde surnaturel. Quelle extraordinaire façon de jouer du piano était-ce là, qui rendait perplexe, bafouait les règles établies et provoquait l'affolement des nerfs ! Alors Marie comprit qu'il s'agissait du fameux Liszt dont on parlait tant et qui, malgré son jeune âge – vingt et un ans ! –, était déjà une légende vivante.

Enfin, l'enchantement cessa. Lentement, le jeune homme se leva, salua profondément et releva d'un coup son visage animé d'un sourire dominateur, provoquant un tonnerre d'applaudissements, un déluge de vivats, une ovation de bravos. Tout à côté de Marie, la vieille duchesse de Montmorency, des larmes dans les yeux, soupira :

— Quel dommage que je ne puisse plus le prendre sur mes genoux, comme je le faisais quand il avait dix ans, et le couvrir de baisers.

Bouleversée, Marie se leva, prit rapidement congé de son hôtesse et quitta l'hôtel de la rue du Bac parmi les premières. Il n'était pas question de s'attarder et de trahir une émotion qu'elle ne s'expliquait pas mais que, par intuition, elle voulait surtout dissimuler. Son cocher la reconduisit aussitôt quai Malaquais. Là, le portier sommeillait déjà sur sa banquette. Tout était silencieux. Le comte était rentré et dormait sans doute. Elle remonta l'escalier, se glissa dans sa chambre, se déshabilla seule et se coucha, frissonnante.

Malgré ses efforts, Marie ne put trouver le sommeil, hantée par le sourire du pianiste magicien. Mais le voulait-elle vraiment ? Dans la solitude de son grand lit à col de cygne, c'était si bon de s'abandonner à toutes les émotions inavouables dont personne ne pouvait être le témoin. Que lui arrivait-il ? En quelques heures, l'impeccable ordonnance de sa vie bien réglée s'était dangereusement fissurée. En avait-elle conscience ? « Le revoir, le revoir à tout prix », tel était son credo secret. C'était mal, sans doute, mais que ce mal était doux ! « Franz, Franz », ce prénom sifflait à présent dans sa tête comme un coup de fouet. Allons, elle était ridicule. Le nouvel Hippolyte de cette Phèdre abandonnée avait sept ans de moins qu'elle, ce n'était qu'un enfant. Oui, mais toutes les femmes de Paris étaient folles de lui. Il fallait oublier cet Attila d'alcôve, ne penser qu'à ses devoirs d'épouse et de mère, ne surtout pas céder à cette funeste impulsion et conserver cette tête froide qui, jusque-là, lui avait permis d'écarter dédaigneusement les prétendants les plus enflammés qui lui faisaient les yeux doux et parfois osaient lui adresser des billets brûlants. Et pourtant, aucun d'entre eux ne ressemblait à cet artiste étrange venu des confins de la steppe. Mais l'avait-il seulement remarquée ?

Elle ne cessa de se retourner dans son lit, cherchant à effacer la coupe de la tentation. Jusqu'à l'aube, ce combat intérieur continua, ne trouvant un apaisement que dans un court sommeil qui fondit sur elle lorsque les premiers rayons d'un jour pâle traversèrent les persiennes de la chambre. Mais elle était déjà brisée, déjà vaincue.

II

L'affranchissement

Marie, Marie, apprends-moi la langue mystérieuse de ton âme.

Franz LISZT

Toute la journée qui suivit, la comtesse d'Agoult fut agitée, irritable et nerveuse, ce que le personnage qu'elle avait fini par composer depuis son mariage n'avait jamais été. Étonnés, les domestiques se demandèrent ce qui avait pu mettre dans un tel état Madame, habituellement si placide, si calme et si bienveillante. Aujourd'hui, elle tournait en rond dans sa chambre, ouvrait ses fenêtres, les refermait aussitôt, s'asseyait devant sa coiffeuse pour vérifier son teint, se relevait, descendait au salon, remontait dans sa chambre et cherchait querelle à ses gens sous n'importe quel prétexte :

— Enfin ! faites attention, vous savez bien que Monsieur n'aime pas que ses œufs soient trop cuits.

Mais comment auraient-ils pu se douter du drame intérieur qu'elle vivait en cet instant et que trahissaient ces impatiences envers les maladresses de sa femme de chambre, du majordome ou de la cuisinière ? En fait, depuis douze heures, elle ne songeait qu'à Liszt. Que faisait-il ? Où était-il ? Avec qui était-il ? La flamme cachée qui sommeillait tout au fond de cette femme s'était soudain ranimée « avec une force terrible » qui, à présent, lui faisait peur. Fallait-il oublier cette soirée ? Fallait-il donner une suite en le revoyant ? Fallait-il l'attirer chez elle ? La dernière solution s'imposait, d'autant que ce ne devrait pas être trop difficile. Car son salon, s'il n'était pas l'un des plus prestigieux de Paris, avait bonne réputation. On y faisait aussi beaucoup de musique, d'abord parce que la maîtresse de maison était une bonne pianiste, ensuite parce qu'elle aimait la compagnie des musiciens. D'ailleurs, Rossini, Herz, Moscheles, Bériot, Nadermann ou Tulou ne dédaignaient pas de paraître régulièrement chez celle que Sainte-Beuve, avec son ironie coutumière, avait surnommée « la Corinne du quai Malaquais ». Elle pourrait donc l'inviter à venir jouer. Mais le problème, en fait, n'était pas là. La véritable question était : « Faut-il l'attirer ? » Avec tous les risques que cela comportait pour sa propre sécurité affective. N'était-ce pas ouvrir au loup – si attirant fût-il – la porte de la bergerie ?

Enfin, un signe vint du ciel. En début d'après-midi, la marquise Le Vayer se fit annoncer. Ayant remarqué, la veille, la pâleur de son amie, elle tenait à prendre des nouvelles de sa santé. Allait-elle bien ? Souffrait-elle d'une affection particulière ? Marie la rassura. Sans doute un peu de fatigue. Et la conversation tourna autour de la soirée, et donc de Liszt, qui, naturellement – cela n'avait échappé à personne ! –, en avait constitué l'attraction principale.

— Comment l'avez-vous trouvé ? Intéressant, non ? Figurez-vous qu'il joue depuis l'âge de dix ans. Depuis, toutes les capitales d'Europe se l'arrachent, Vienne, Londres, Berlin, Paris. Il nous vient de Hongrie, où son père était régisseur d'un des vastes domaines de la famille Esterhazy. Il a été l'élève de Czerny, mais cet imbécile de Cherubini n'en a pas voulu au Conservatoire ! Ce génie musical compose avec autant de facilité qu'il joue et il a signé son premier opéra à quatorze ans. De surcroît, sa beauté ne vous a pas échappé, ma chère. On dit que naguère, il a séduit la jeune Caroline de Saint-Cricq, vous savez, la fille du ministre de Charles X, qu'on a dû marier en hâte car elle était prête à s'enfuir avec lui. Cela étant, on ne lui connaît aucune liaison officielle et, semble-t-il, il vit sagement avec sa mère qui tient son ménage. Toutes les femmes sont folles de lui. On raconte qu'il souhaite devenir prêtre. Avouez que ce serait du gâchis. Dieu a-t-il besoin d'un serviteur qui fait chavirer les cœurs ?

Et cela continua pendant une heure. Marie sut tout ou presque de ce génie. Elle apprit ainsi que Louis XVIII lui avait offert un jouet quand il avait donné un récital devant la famille royale. Jadis, le public enthousiaste remplissait ses poches de pièces d'or et de friandises après ses concerts, et ses admiratrices, désormais, ramassaient dans la rue les mégots de ses cigares et conservaient sous cloche de cristal les verres dans lesquels il avait bu. Jamais on n'avait vu une telle chose ! Un vrai diable, dont le regard vert transperçait les cœurs et les doigts de magicien enchantaient les âmes...

Toujours sur ses gardes, Marie résistait à son envie d'entendre parler de Liszt et simulait l'indifférence. Mais elle s'arrangea subtilement pour que la marquise continuât de parler de son protégé. À la fin, elle finit par admettre du bout des lèvres qu'il serait sans doute bon pour la réputation de son salon de recevoir le phénomène. Après tout, cela ne l'engageait à rien.

— Mais oui, invitez-le donc, conclut Mme Le Vayer en prenant congé, mais non sans méditer dans sa tête quelque perfide intention. Voici son adresse.

— Peut-être, j'y songerai tantôt.

Aussitôt, Marie s'enferma dans sa chambre et commença à rédiger un billet qu'elle recommença plus de vingt fois. La dernière rédaction lui convint : « Monsieur, votre visite ferait une joie immense à votre sincère admiratrice, la comtesse Marie d'Agoult. » Enfin satisfaite, elle le fit aussitôt porter au 61, rue de Provence. Avait-elle bien fait ? Pendant toute la soirée, et la nuit qui suivit, elle se demanda si ce billet n'était pas une imprudence et si, inconsciemment, elle n'avait pas elle-même allumé la mèche reliée à un baril de poudre. Au plus profond de son cœur, elle avait peur, mais cette peur, aussi, était délicieuse. Allons, il fallait être forte, se disait-elle. Céder à une impulsion n'était pas *a priori* un péché si elle se contrôlait ! Non, elle ne pouvait pas être amoureuse. Elle n'était que curieuse de rencontrer en tête-à-tête un phénomène dont tout Paris parlait. Ils se verraient une ou deux fois, sans doute, et il n'y aurait pas de suite. Après tout, son amie aussi voyait Liszt, et pour autant, elle n'avait pas perdu sa réputation de femme honnête !

Comme prévu, M. Liszt se fit annoncer le lendemain quai Malaquais, alors que Marie était seule. Elle ordonna qu'on l'introduisît dès qu'elle eut vérifié que ses cheveux étaient bien ajustés et sa robe convenablement disposée. Un instant plus tard, il entra silencieusement, salua très cérémonieusement et, après y avoir été invité d'un signe, s'assit en face d'elle. Ni l'un ni l'autre n'étant très à l'aise, la conversation s'engagea avec des banalités sur la musique. Elle lui joua quelque chose. Il la corrigea avec douceur, se mit lui-même au piano et lui offrit un de ses derniers arrangements. Fascinée par son jeu fulgurant, la précision du son et la dextérité du doigté, elle aurait voulu qu'il ne s'arrêtât jamais et que ce moment durât toujours. Mais les conventions demeuraient. Son mari rentrerait bientôt, ses filles allaient être amenées par leur gouvernante, une sortie en ville était prévue. Ils se quittèrent aussi chastement qu'ils s'étaient reçus, déjà heureux de s'être mutuellement apprivoisés en triomphant de l'épreuve si essentielle qu'est en général le premier rendez-vous. « Je sentis, écrivit-elle, sous les dehors étranges qui m'avaient d'abord étonnée, la force et la liberté d'un esprit qui m'attirait. Et bien avant que la conversation n'eût pris fin, j'en venais à trouver très simple toute une manière d'être et de dire inusitée dans le monde où j'avais toujours vécu. Franz parlait impétueusement d'une manière abrupte. Il exprimait avec véhémence des idées, des jugements bizarres pour des oreilles habituées comme l'étaient les miennes à la banalité des opinions reçues. L'éclair de son regard, de son geste, son sourire tantôt profond et d'une douceur infinie, tantôt caustique, semblait vouloir me provoquer soit à la contradiction, soit à un assentiment intime. Et moi qui demeurais hésitante entre l'un et l'autre, surprise de tant de promptitude dans une relation si peu prévue, je répondais à peine. »

Et il revint, presque chaque jour à la même heure, et chaque jour il jouait pour elle et lui parlait, s'enhardissant davantage, lui racontant sa vie, ses espoirs, ses chimères, lui confiant ses préoccupations spirituelles depuis qu'il était devenu l'ami de l'abbé de Lamennais, ne lui dissimulant pas sa quête de Dieu, de justice et d'amour universel à laquelle – il en était persuadé – on pouvait accéder par la musique. Il lui parla de son enfance en Hongrie. Elle lui raconta la sienne, en Allemagne. Au fond, n'étaient-ils pas des déracinés dans ce Paris où toute l'Europe se pressait ? Elle évoqua Goethe qui, un jour, l'avait prise dans ses bras quand elle n'était qu'une gamine. Il fit de même avec Beethoven, qui l'avait adoubé au même âge. Et, petit à petit, ils s'aperçurent bien vite que leurs esprits étaient à l'unisson, tournés vers un idéal de pureté, de désintéressement et de grandeur, hors desquels tout n'était que routine et médiocrité, bassesse et vulgarité. Au fil de leurs entretiens, il lui fit découvrir les œuvres de son ami Chopin, celles de Berlioz aussi, en particulier les poèmes d'Hugo que ce dernier venait de mettre en musique, et elle l'accompagna en chantant :

Mais surtout, quand la brise
Me touche en voltigeant,
La nuit j'aime être assise,
Être assise en songeant...

Elle le regardait, fascinée par sa beauté, mais aussi par la complexité de son esprit toujours en mouvement, par les audaces de ses propos, la fulgurance de ses idées, comme, du reste, le seront toutes celles qui furent ses élèves. Ainsi, Mme Boissière notait-elle : « C'est un original plein d'esprit, il ne dit rien comme un autre et ses idées sont très piquantes, elles sont bien à lui. Il a le meilleur ton de la noblesse, du soutenu, du concentré et une modestie qui va jusqu'à l'humilité, qui va trop loin selon moi pour être tout à fait de bon aloi. D'abord il nous dit qu'il refusait beaucoup de leçons, qu'il aimait sa liberté, qu'il avait des occupations impérieuses. Il nous conseilla Herz, Bertini, Kalkbrenner qui, dit-il, valaient mieux que lui. Il s'effaçait entièrement devant le talent de ces messieurs, mais nous lui répondîmes que nous voulions ses conseils et pas d'autres. Il s'attendrit un peu... "Mais, dit-il, je fais beaucoup approfondir les morceaux et souvent une leçon est employée à étudier deux pages". » Ce fut à ce moment qu'il lui fit cette confidence : « N'étant personne, il faut que je devienne quelqu'un. Ce quelqu'un fera ensuite quelque chose et crèvera en étant très peu de chose. »

Naturellement, les contingences matérielles étaient exclues de ses confessions, Franz s'abstenant d'évoquer la liaison orageuse qu'il avait eue avec la jeune et délurée Adèle de Laprunarède, épouse d'un barbon du Vivarais, et qui, entre deux draps, lui avait fait découvrir un autre visage de l'amour, qui n'était pas seulement celui de l'esprit puisqu'elle lui arracha assez facilement son pucelage. Il ne parla pas davantage de Mlle de Saint-Cricq et de ses cohortes d'admiratrices, dont Marie feignait d'ignorer l'existence. En fait, ils s'élevaient, s'isolaient, s'éloignaient du monde des simples mortels, poussant jusqu'au zénith leur attachement naissant, comme elle allait l'écrire : « Dans ces sous-entendus, dans ces confidences voilées, dans ces épanchements à la fois très libres et très discrets où nous trouvions chaque jour un plus grand charme, Franz apportait un mouvement, une abondance, une originalité d'impressions qui éveillaient en moi tout un monde sommeillant et me laissaient, quand il m'avait quittée, en des rêveries sans fin... À la voix du jeune enchanteur, à sa parole vibrante s'ouvrait devant moi tout un infini, tantôt lumineux, tantôt sombre, toujours changeant, où ma pensée plongea éperdue. Aucune apparence de coquetterie ou de galanterie ne se mêlait, comme il arrive entre personnes du monde, à mon intimité avec Franz. Il y avait entre nous quelque chose ensemble de très jeune et de très grave, de très profond et de très naïf. Contents de nous voir chaque jour, nous quittant avec l'assurance de nous retrouver le lendemain aux mêmes heures, avec la même liberté, nous nous abandonnions l'un et l'autre à cette sécurité, à cette plénitude d'un sentiment spontané et partagé qui ne s'interroge pas, ne s'analyse pas, et qui n'a même pas besoin de se déclarer, tant il se sent compris, partagé, nécessaire et inexprimable. »

C'était de l'amitié et non de l'amour, se répétait-elle continuellement pour se rassurer. Pourtant, non contents de se voir, ils s'écrivirent. Les lettres commencèrent donc à affluer à un rythme métronomique, cachées dans les partitions de musique ou les livres qu'ils s'échangeaient, de plus en plus intenses, de plus en plus pressantes : « Je suis seule avec une grande pensée, lui écrivait-elle, et cette pensée, c'est vous ! Je vous aime de toute mon âme. Vous m'avez dit un jour que vous m'aimiez tant que vous n'aviez pas même besoin de me voir ! Cette idée me frappa. J'en éprouve aujourd'hui toute la vérité. Vous êtes là, toujours là, et je vous retrouve dans les détails les plus puérils de ma vie. Lorsque Adèle me coiffe, je regarde mon front parce que vous l'aimez... Lorsque je vais m'asseoir sur un tronc d'arbre ou sur un banc de pierre, causant avec mes bons paysans, je jouis de leurs réponses naïves, me persuadant que vous les entendez aussi... »

Et il lui répondait : « Enfin, une lettre de vous ! Dieu soit béni. Je désespérais... »

À sa demande encore, Liszt rendait de petits services à Marie, comme celui de collecter des autographes d'artistes célèbres pour ses albums, de lui procurer des places de concert, ou de rabattre vers son salon quelques recrues de choix, parmi lesquelles Heinrich Heine ou son camarade Frédéric Chopin.

Entre Chopin et Liszt, très vite l'amitié s'était placée sous le signe d'une mutuelle admiration. À tel point que le Polonais disait du Hongrois : « Je voudrais lui voler la manière de rendre mes propres *Études*. » Marie s'amusait à faire semblant de rendre Franz jaloux avec Frédéric. Et, entrant dans le jeu, Franz Liszt fit cette réponse ironique à une invitation émanant de Marie : « À moins d'un ordre formel et précis signé de la comtesse d'Agoult ; ordre que je me chargerais volontiers de faire exécuter par la gendarmerie du royaume, ne comptez nullement sur la visite du célèbre pianiste F. Chopin, car le susdit ami et pianiste est décampé la semaine dernière et se trouve probablement dans ce moment-ci à Tours... auprès de quelques belles Tourangères *[sic]* simples et naïves... » Chopin était bien en Touraine, non pas à Tours mais à Amboise et non pas auprès d'une belle Tourangelle mais chez son ami Georges, comte Saint Bris, compositeur de musique et propriétaire du château du Clos-Lucé. Le soir, ils se mettaient successivement au piano. Chopin jouait du Saint Bris. Saint Bris jouait du Chopin. Il n'y en a qu'un qui est resté célèbre...

Le romantisme est une ronde. Une ronde d'amitié et un cerceau d'admiration réciproque qui ne cesse de rouler de l'un à l'autre sous l'impulsion de la baguette de la création. Liszt a eu la révélation de

Chopin venu jouer à Paris et c'est à lui, Liszt, que Chopin dédiera son premier cahier d'*Études*, comme plus tard Schumann dédiera sa *Fantaisie* à Liszt et ce dernier sa sonate à Schumann. Autre ronde, la ronde de Leipzig : Liszt, Schumann et Mendelssohn. De même en est-il de la ronde de George Sand ; Musset lui présente Liszt et Liszt lui présente Chopin. Un soir, Musset, après trois verres de bordeaux bus chez Liszt et après une brillante improvisation de ce dernier au piano, supplie son ami de le réconcilier avec George Sand. Une autre nuit, Liszt reconduisant Musset en fiacre rue du Bac le voit au lieu de rentrer chez lui pénétrer dans un mauvais cabaret. La ronde est sans fin. C'est encore à l'ami Chopin, qu'il qualifie tendrement de « Chopino » ou « Chopinissime », que Franz Liszt doit d'avoir remanié ses œuvres de jeunesse et sans doute la métamorphose de ses *Études transcendantes*.

Une autre trinité poursuit la ronde et en reprend le cercle : c'est l'amitié Liszt, Chopin et Meyerbeer. Sans doute inspiré par Shakespeare et par sa venue dans la cité royale d'Amboise, Meyerbeer compose *Les Huguenots*, opéra en cinq actes dont le succès sera prodigieux. Les deux premiers actes se passent en Touraine, les trois derniers à Paris, la veille de la Saint-Barthélemy. Toute cette belle histoire romantique commence sous l'éclat du soleil d'août de 1572 par la rencontre de l'amour quand Raoul de Nangis, gentilhomme protestant, tombe en arrêt « non loin des vieilles tours et des remparts d'Amboise » devant l'exceptionnelle beauté de Valentine, fille du comte de Saint Bris, seigneur catholique. Une histoire digne de la rivalité des Capulet et des Montaigu, un amour contrarié par la séparation des croyances entre une belle catholique et un noble protestant. Dans cette ronde harmonieuse, une seule fausse note, celle d'un critique féroce : Hector Berlioz en personne. Devant le duo d'amour des « Huguenots », il n'a que ce mot cruel : « Meyerbeer a du talent, mais il faut du génie pour le trouver. » Qu'importe la méchanceté spirituelle du trait, l'opéra de Meyerbeer fit beaucoup d'heureux, dont Georges Saint Bris, en tout premier lieu. Mais sa félicité ne fut absolue que lorsque Franz Liszt décida de lui en jouer au piano la paraphrase.

Ce n'est que quand les amis se séparent que l'on danse la ronde romantique à contretemps. Ainsi la brouille entre George Sand et la comtesse d'Agoult entraînera-t-elle le différend entre Chopin et Liszt.

Quoi qu'il en soit, nous voguons en plein romantisme. Si Chopin était reçu dans le salon du quai Malaquais, tel ne fut pas le cas de sa voisine George Sand, qui résidait tout à côté, au troisième étage, sous les toits, dans un logement bohème de trois pièces qu'elle avait surnommé la « Mansarde bleue ». Sans que Franz réclamât rien, Marie lui offrait des cadeaux de prix, montres en or, épingles à cravate en diamants, gants de peau. Ils échangeaient des livres, ceux de Nerval, de Balzac, d'Hugo, de Lamartine et de George Sand, et les commentaient. Enfin, transgression plus sensible encore, des premiers rendez-vous à l'extérieur s'organisèrent, tel ce jour où, déguisée en homme pour ne pas être reconnue, elle alla l'écouter jouer de l'orgue à la tribune de Notre-Dame où elle vécut un moment d'extase intense. Cet autre jour encore, où Liszt confia à Marie, alors qu'il l'accompagnait au Louvre : « Parmi toutes les améliorations que je rêve dans mon rêvoir, il en est une dont l'extension sera facile et dont l'idée se présenta à mon esprit il y a peu de jours, lorsque, me promenant silencieusement dans les galeries du Louvre, je contemplai tour à tour la profonde poésie du pinceau de Scheffer, la couleur splendide de Delacroix, les lignes pures de Flandrin et Lehmann, la nature rigoureuse de Brascassat. Pourquoi, me disais-je, la musique n'est-elle pas conviée à ces fêtes annuelles ? Pourquoi ces vastes salles du Louvre restent-elles muettes ? Pourquoi les compositeurs ne viennent-ils pas y apporter, comme les peintres, leurs frères, les plus belles gerbes de leur moisson ? Pourquoi, sous l'*Invocation du Christ* de Scheffer, de *Sainte Cécile* de Delaroche, Meyerbeer, Halévy, Berlioz, Onslow, Chopin, et d'autres plus ignorés qui attendent impatiemment leur jour et leur place au soleil, ne feraient-ils pas entendre dans cette enceinte solennelle des symphonies, des chœurs, des compositions de tous genres qui restent enfouis dans les portefeuilles, faute de moyens d'exécution ? »

Mais au fil des jours, des semaines, et déjà des mois, Marie comprit qu'elle devait prendre une décision, celle à laquelle sont confrontés tous ceux qui vivent ce genre de situation : ne plus se voir pour éviter que les choses n'allassent trop loin, ou céder à cette irrésistible force qui poussait l'un vers l'autre cette femme et cet homme.

Ce n'était encore qu'une relation platonique, car Marie, en Capricorne réservée et pour passionnée qu'elle fût, restait une femme de tête prudente et méfiante, qui ne cédait pas facilement. D'autant qu'elle n'avait personne à qui se confier puisqu'elle observait une certaine distance avec ses amis, surtout lorsqu'elles étaient femmes. Quant aux hommes, inutile d'y songer, ce n'était ni à Rossini ni au comte Apponyi, secrétaire et neveu de l'ambassadeur d'Autriche, qu'elle aurait pu délivrer des confidences. Si, tout de même, il restait Eugène Sue, qui n'était pas encore l'auteur des *Mystères de Paris*, à qui elle demanda un conseil, « pour une amie » naturellement, comme chacun le fait en pareille circonstance. La réponse la surprit : « Que cette dame aille voir Mlle Lenormand, la célèbre voyante. »

Déroutée, Marie suivit le conseil. Mais de combien de précautions dut-elle s'entourer pour se rendre chez la vieille pythonisse chez qui, naguère, tout Paris avait défilé, aux heures sombres de la Révolution, de Robespierre à Bonaparte en passant par Joséphine de Beauharnais, pour connaître son avenir à une époque où personne ne savait si le lendemain sa tête serait encore sur ses épaules ! Discrètement voilée, sans donner son nom, sans même solliciter l'aide de son cocher qui aurait pu parler, elle pénétra dans l'antre vénérable et s'assit, intimidée, devant le regard perçant de la médium, qui la contempla longuement tandis que ses mains ridées jouaient distraitement avec un antique jeu de tarots. Enfin, au bout d'un long moment, Mlle Lenormand, dont le regard étonnement vif pour son âge la transperça, délivra cette prophétie : « Un changement total dans votre destinée se fera d'ici deux ou trois ans. Vous changez entièrement votre manière de vivre... Vous changerez même de nom par la suite, et votre nom nouveau deviendra célèbre en Europe. Vous quitterez pour longtemps votre pays. Vous aimerez un homme qui fera sensation dans le monde. Défiez-vous de votre imagination qui s'exalte facilement et vous jettera en bien des périls dont vous ne sortirez que par un grand courage... Mais ayez confiance, vous triompherez de tout. Vous vivrez vieille, entourée de vrais amis. »

Troublée, Marie se retira sur ses terres, à la campagne, pour réfléchir, au printemps de l'année 1833. C'était en fait un vaste et somptueux château du XVIIe siècle, assis sur soixante-treize hectares de bois et d'exploitations et qu'elle venait d'acheter au prince de La Trémoille. Un domaine situé dans le bourg de Croissy, près de Lagny-sur-Marne dans la Brie, à une vingtaine de kilomètres à peine de Paris. Là, elle aimait à se cacher du monde, à vivre en harmonie avec la nature, et peut-être avec ses souvenirs d'enfance, elle qui, très jeune, avait tant joué dans la propriété de ses grands-parents, la villa Ariadne près de Francfort, avant de retrouver cette joie de vivre près des bois, des fleurs et des oiseaux en Touraine, au château du Mortier, à Monnaie près de Tours, qu'avaient acquis ses parents le

28 mai 1810 et qui constituait le vaisseau amiral de la famille de Flavigny.

Celui-ci avait séduit son père parce qu'on pouvait facilement chasser dans les bois giboyeux de ce domaine immense, orné de ses sept étangs. Comme les familles nobiliaires de la Restauration, les Flavigny partageaient leur temps entre leur hôtel parisien l'hiver, et le Mortier l'été. Marie aimait à évoquer les préparatifs annonçant le grand voyage : « Qu'on s'imagine ce que devait être l'éloignement de Paris à Monnaie, soixante lieues ! Longtemps à l'avance, on discutait en famille le jour du départ. Les préparatifs ne duraient pas moins de quinze jours. On partageait en deux ce grand trajet. On s'arrêtait à mi-chemin, à Chartres, pour y passer la nuit dans une affreuse auberge où l'on soupait d'un fricandeau à l'oseille, réchauffé et servi par la plus malpropre des maritornes. » La vie au Mortier avait été un enchantement pour Marie, qui passait ses journées à parcourir les bois et les prés avec les enfants du voisinage, à l'exception des jours d'intempéries où il fallait demeurer à la maison. « Quand arrivaient les mauvais temps et qu'il n'y avait pas moyen de sortir, je me sentais bien privée, bien seule à la maison, ma mère n'y admettant pas volontiers mes bêtes et n'y tolérant qu'à demi mes chers petits rustres. Ceux-ci, de leur côté, se sentaient gênés dans nos salons, sur les parquets glissants, sur les fauteuils aux blanches housses de basin, où se marquait l'empreinte de leurs mains terreuses », précisait déjà la future militante de la république.

Ces jours de pluie avaient été aussi ceux de la créativité avec ce père trop tôt disparu. Avec lui, elle reconstituait des paysages imaginaires : « Sur une table de bois de sapin, qui ne servait à rien d'autre, j'étendis une couche de terre argileuse rapportée à cette intention de ma chère allée souterraine. Avec un couteau de bois, je traçai sur toute la surface ainsi enduite le plan improvisé de mes plantations ; de frêles tiges d'arbuste, houx, genévriers, épines, figurèrent dans mes compositions des forêts. Des épaisseurs de terre et de cailloux me donnèrent à l'horizon les montagnes ; avec de beaux coquillages rapportés de la Martinique par un chevalier de Lonlay, qui habitait tout auprès de nous le château des Belles-Ruries, je formai des grottes profondes que je tapissai de mousses et de lichens ; un morceau de miroir, irrégulièrement brisé, devint un lac limpide ; de petits sentiers sablés serpentèrent agréablement au travers de ces campagnes... »

Délicieux moments de complicité avec le père qu'elle peut épater par ses créations et qui, lui, ne se prive pas d'en rajouter, bricolant de ses mains aristocratiques avec du liège et du carton et y taillant avec habileté des habitations de campagne. Ici un ermitage, là un château et, plus loin, une cabane de pêcheurs. Il se prit tellement au jeu, qu'il commanda à Nuremberg, où l'enfance est un royaume, les personnages déjà peints, les animaux pittoresques, les princesses et les cygnes en miniature qui peupleraient le paysage. Cette mise en place d'une féerie de campagne enchantait Marie, toute vibrante à l'idée de connaître les frémissements de la création. Ces instants lui procurèrent une si grande volupté et un plaisir si intense qu'elle s'en souvenait encore au soir de sa vie : « J'eus les éblouissements de la création poétique. » Quelle satisfaction en effet de pouvoir si précocement matérialiser ses songes en meublant l'espace de tous les rêves offerts par la lecture : « Je continuai, à part moi, de vivre dans la compagnie de belles princesses, dans des bosquets enchantés où l'on soupirait d'amour ; je ne rêvai plus que de ravisseurs, blancs palefrois, bergers fidèles… »

Chaque jour, Marie avait rendez-vous avec ses oiseaux assemblés dans une volière, pinsons, chardonnerets, bouvreuils, et même des perdreaux qu'elle avait tenté d'élever, mais naturellement sans succès. En revanche, son amour des bêtes fut récompensé par un couple de lapins angoras, l'un blanc et l'autre noir, qui donnèrent une abondante descendance. Et elle n'était pas sans s'émerveiller lorsque, à chaque portée, elle remarquait toutes les variations possibles de la couleur pie. Cet amour n'était pas sans retour. Une chèvre s'était même attachée à elle. Dès qu'elle l'apercevait, elle poussait « un bêlement plaintif et tendre » qui lui « allait droit au cœur ». Un de ses plus beaux souvenirs de Touraine, ce furent les promenades en carriole avec l'âne du jardinier, noblement harnaché, arpentant « en tous sens l'étoile et les pattes-d'oies du grand bois qui lui était interdit la semaine ». Un paradis ? Sans doute, au regard de l'enfance, mais peut-être pas pour l'adulte qu'elle était devenue. Ne fit-elle pas remarquer un jour qu'avec la fortune de sa mère, ses parents auraient pu acquérir un monument plus prestigieux de ce val de Loire qui en comptait tant, comme le château d'Azay-le-Rideau, qui était alors à vendre et qu'ils avaient visité sans pour autant se décider ?

À Croissy, dans ce château jadis construit par le frère de Colbert, elle se sentait bien. D'abord parce que son accès était plus près de Paris que Le Mortier, mais aussi parce qu'elle y revivait, cette fois avec ses filles, ces émotions d'enfance qui lui étaient si chères. Elle était chez elle, et nulle contrainte ne pouvait offusquer son aristocratique liberté. Nul ne la surveillait, nul ne la jugeait, et surtout pas cette société du faubourg Saint-Germain qu'elle ne supportait plus, avec son cortège de ragots, de petitesses et même, parfois, de bassesses. Allait-elle oser y inviter Franz, et par là même amorcer sa rupture avec le monde ? Elle osa !

Comme elle l'avait espéré, il vint entre deux tournées, pendant que le comte d'Agoult était en manœuvres avec son régiment, loin de Paris. Éloignés de tout, ils se promenèrent dans la campagne, jouèrent du piano, soupèrent en tête-à-tête, renforçant chaque jour les liens qui les unissaient. Plus tard, dans ses mémoires, elle se rappela l'attitude de Franz et les compliments, qui lui paraissaient exagérés, que le beau pianiste avait alors prononcés, exaltant surtout son style de vie. Le musicien louait « sa belle existence », vantait « sa grande situation » dans la société et admirait le luxe et l'excellence de « sa demeure royale ». Même si Marie, depuis six ans maintenant, était mariée au comte d'Agoult, ce dernier lui octroyait une grande liberté. Marie pouvait recevoir qui elle voulait à Croissy, et il n'était pas rare qu'elle logeât ses invités au premier étage, divisé désormais en appartements. Son amour de la musique était bien connu. C'est pourquoi le séjour d'une semaine de Liszt à Croissy n'eut rien d'insolite aux yeux de l'entourage de Marie. Charles d'Agoult, d'ailleurs, ne montrait pas de jalousie à l'égard des admirateurs de sa femme quand il pouvait apprécier leur culture et converser avec eux agréablement. Cela n'empêcha pas Marie et Franz de se livrer aux petites cachotteries qui sont les friandises de l'amour : se passer des messages dissimulés dans des livres ou entre des partitions de musique, en émaillant leurs billets doux de mots anglais, comme si ces codes britanniques pouvaient constituer un camouflage...

Un après-midi, sous les frondaisons d'un vieux chêne, à l'écart de la propriété, il l'enlaça sans qu'elle eût la force d'opposer la moindre résistance, et lui vola un premier baiser. Elle gémit, mais ne protesta pas. Qu'il était doux le goût du satin de sa bouche, du taffetas de ses lèvres. Quelle étrange sensation, si nouvelle. Jamais elle ne l'avait éprouvée avec Charles. Tout au plus se contenta-t-elle de murmurer :

— Je n'aurais jamais dû vous inviter à Croissy.

— Peut-être, mais j'y suis, à présent. Marie, nous ne pouvons plus dissimuler nos sentiments. Cessons de nous mentir. »

Aussi troublés l'un que l'autre, ils retournèrent au château devant lequel les enfants se livraient à une partie de croquet. Ils se mêlèrent à eux, comme pour conjurer la transgression qu'ils venaient de commettre, mais ils avaient la tête ailleurs. Marie envoya distraitement sa boule dans un massif de rosiers. Franz perdit la sienne dans l'étang. Le soir même, alors que les petites étaient couchées et que leur dîner s'achevait sous les peintures d'Oudry commandées par Colbert pour Croissy, ils étaient tous deux silencieux. Les domestiques s'étant retirés, Franz se leva, s'approcha d'elle, puis s'agenouilla en lui tenant la main qu'il baisa avec empressement. Envahie par un ensemble complexe d'émotions, de sentiments et de désir, elle frissonna, ferma les yeux et le laissa faire. Lentement, ils gravirent l'escalier jusqu'à la chambre de Marie où elle le laissa entrer, se contentant de fermer le verrou.

Très doucement, il la prit dans ses bras. Elle se serra contre lui et se laissa conduire sur son lit. Il la coucha avec mille précautions, comme si elle avait été une porcelaine précieuse. Et la nuit enveloppa les deux amants dans sa quiétude sereine, dans son obscurité rassurante où, par moments, la lueur du feu crépitant dans la cheminée revêtait la nudité de leurs corps et la blondeur de leurs chevelures d'un halo d'or, comme l'onde du Rhin au coucher du soleil, comme les blés de l'immense plaine hongroise ayant enfanté ces deux errants qui, enfin, venaient de se trouver. L'aurore les surprit enlacés, rayonnants de calme, de bonheur et d'apaisement. Cela ne ressemblait en rien à ce qu'elle avait connu jusque-là, à savoir un ensemble de choses plus ou moins désagréables par quoi venaient les enfants.

Là, c'était différent. Elle était dans un autre monde, et ce fut une révélation.

Dans la matinée, tandis que sa femme de chambre la coiffait, Marie chercha-t-elle à voir dans son miroir si quelque chose avait changé sur son visage. Se répéta-t-elle, comme Madame Bovary : « J'ai un amant, j'ai un amant, j'ai un amant » ? Sans doute, mais si cela ne faisait certes pas d'elle une exception dans son monde, cela bouleversait totalement l'image de détachement, de pureté et de hauteur qu'elle tenait jusque-là à donner d'elle-même. Leur amour était pur, se répétait-elle, et même s'il n'était plus chaste, le médiocre ne pouvait pas le comprendre.

Ponctués par leurs longues promenades le jour et leurs étreintes passionnées la nuit, ces quelques jours volés aux conventions furent un enchantement, comme un moment vécu hors du temps, un séjour sur une autre planète. Elle ne se reconnaissait plus lorsque, assise à ses pieds, elle se lovait contre ses jambes, sous la protection du piano tandis que lui jouait d'une manière différente, plus mûre, plus inspirée, plus transcendante qu'auparavant.

Pour autant, il allait falloir désormais jouer la comédie, mentir, tricher, dissimuler, ne pas se trahir. Mais elle était prête à y mettre le prix. Elle ne pouvait plus se passer de Franz, de la profondeur de son regard, du parfum de sa peau, de ses longs cheveux balayant ses épaules quand il lui faisait l'amour. Ne pouvant risquer en permanence d'être surpris, il leur fallait un nid d'amour. Ainsi leurs rencontres secrètes avaient lieu soit au domicile de Pierre Érard, le facteur de pianos, soit dans un appartement que Liszt avait loué dans l'obscure petite rue de la Sourdière, leur fameux « trou à rats » *(Ratzenloch)*, près de l'église Saint-Roch où, l'été achevé, ils se retrouvèrent après ces interminables séparations que nécessitaient les tournées du jeune maître. C'est de là, qu'un jour, il lui adressa ce billet rédigé à la hâte après une de leurs rencontres : « Hier, je n'avais point de prière du soir à faire. Il me semblait que nous ne nous étions pas quittés encore. Ton regard rayonnait magnifiquement dans le ciel. Ton souffle était encore sur mes lèvres et sur mes paupières. Là, il n'y avait plus ni espace, ni temps, ni paroles… mais infini… Amour, oubli, volupté, charité !!! Dieu enfin !!! Dieu que mon âme cherche, tel que le désespoir et l'excès de la douleur le pressentent parfois. »

Les précautions dont ils s'entouraient n'étaient pas inutiles, car il n'était pas question d'officialiser cette liaison. En cette époque de la monarchie de Juillet où l'esprit bourgeois dominait autant le monde des affaires que celui de la morale publique, les mœurs du XVIIIe siècle étaient bien révolues. Sous Louis XV, les grandes dames faisaient ce qu'elles voulaient, prenaient des amants comme bon leur semblait, et tout s'arrangeait avec un mot d'esprit. Mme du Deffand, Mme Geoffrin, Mlle de Lespinasse et tant d'autres n'avaient pas de comptes à rendre à l'opinion publique. Et pas davantage leurs émules, qui en avaient gardé le style, comme Mme de Staël. Les femmes étaient alors intouchables, dès lors qu'elles se situaient à un certain niveau. Désormais, tout était différent. L'ordre moral avançait à grands pas, l'Église avait retrouvé toute sa force et personne, dans le monde, n'aurait osé transgresser les sacro-saintes vertus de la famille dont le roi lui-même donnait l'exemple, fidèle à sa femme et aux siens, lui dont la cour respectable et quelque peu ennuyeuse cultivait l'esprit. Mais pour autant, Marie avait-elle conscience de commettre le péché d'adultère ? Ce n'était pas certain.

Pour elle en effet, comme pour Liszt, ce moment privilégié et unique ils le vivaient l'un et l'autre comme une renaissance mystique, une régénérescence transcendante, une transmutation alchimique. Leur amour ne relevait pas du commun mais de l'esprit de Manfred, de Werther, d'Adolphe et de Léone. Se disait-elle qu'elle n'était pas la première dame de haut parage à prendre un amant en dehors de son milieu, à inverser le conte du prince et de la bergère en princesse et berger ? Combien d'autres, avec elle, cédaient aux exigences de l'amour devant la beauté du diable ou, tout simplement, la tendresse d'un compagnon ? Cela alimentait les ragots du Faubourg, auxquels elle n'avait jamais prêté l'oreille tout simplement parce que, jusque-là, elle ne comprenait pas ce qui pouvait pousser une femme vers un homme. Maintenant, tout était clair dans sa tête, son cœur et son corps. Elle réalisait ce qui échappait aux rombières, qui, comme elle, s'étaient laissé marier et végétaient à présent en regardant grandir leurs enfants, leurs petits-enfants, parfois leurs arrière-petits-enfants, trompant leurs angoisses en rabrouant leurs domestiques, en épluchant les comptes de leurs régisseurs, en s'adonnant aux délices de la médisance ou en trompant leur ennui par de longues stations à Saint-Thomas-d'Aquin, dans l'odeur de l'encens, la fumée des cierges et le ronronnement des orgues.

Aucune femme d'exception ne pouvait échapper à ce bonheur de la malédiction d'amour, pas même la mère du roi, la duchesse d'Orléans, qui avait fini sa vie avec l'ancien conventionnel Rouzet qui l'avait sauvée des griffes de la Terreur et avec lequel elle avait maritalement fini ses jours, allant jusqu'à obliger son fils à le faire inhumer dans la chapelle de Dreux ! Pas même la dernière des princesses Stuart, la comtesse d'Albany, veuve du prétendant Charles-Édouard, et qui, à Montpellier, vivait sans se cacher avec le beau peintre François-Xavier Fabre, ainsi qu'elle l'avait fait avant avec le poète Vittore Alfredi ! Il y aurait bien d'autres exemples de transgressions, comme celui de Chopin, bientôt, avec la baronne Dudevant, après la comtesse Potocka. Le monde les jugeait mal ? Qu'importe ! Y a-t-il affirmation sans rébellion et liberté sans indépendance ? Seuls les esprits supérieurs peuvent braver l'opinion, comme le montrait la liaison pratiquement admise par tous de M. de Chateaubriand avec Mme Récamier. Au fond d'elle-même, Marie l'avait toujours su, à l'heure où le bonheur, enfin, fondait sur elle comme un rayon de lumière, où elle se persuadait qu'elle inspirait les nouvelles créations du maître, parmi lesquelles sa *Grande Fantaisie*, son *De profundis,* ses *Apparitions*, bientôt sa fameuse *Campanella* et ses célèbres *Harmonies poétiques et religieuses*. Elle connut aussi l'oppressant sentiment de jalousie qui l'envahissait lorsqu'il allait donner des leçons de piano à quelques belles jeunes filles du monde, toutes éprises du beau professeur qui, sans doute, ne pouvait résister au désir d'accentuer leur trouble. Et c'est pourquoi lui vint rapidement à l'esprit cette idée qu'à plus ou moins long terme, elle ne pourrait se contenter de rencontres secrètes, d'un adultère petitement vécu dans un garni borgne du vieux Paris où il fallait se rendre en se cachant, comme ces femmes perdues qui se donnaient du plaisir par intermittence, juste pour se convaincre qu'elles ne vieillissaient pas ou pour se désennuyer quelques heures. Non, pas elle, c'était trop sale, trop médiocre, trop mesquin !

Jamais Marie de Flavigny ne supporterait une telle situation, se disait-elle en commençant à oublier qu'elle était devenue une d'Agoult. Jamais elle n'accepterait d'être une simple esclave de ses sens. Jamais elle ne se résoudrait à la vulgarité d'une liaison extraconjugale, dont l'essentiel consistait à berner un mari crédule, qu'elle respectait même si elle ne l'aimait pas. Mais comment faire ? Seul un éclat terrible pouvait la sortir de l'ornière où elle s'était enfoncée. En un mot, elle n'avait pas le choix : rompre avec Franz ou vivre leur amour au grand jour. De surcroît, elle ne pouvait renoncer à lui. La froide et lointaine comtesse était devenue au fil des mois une femme ardente, dont le bonheur rejaillissait sur sa beauté, métamorphosée lorsqu'il était auprès d'elle et qui, à la manière des fleurs s'étiolant dans les vases au bout de quelque temps, dépérissait lorsqu'il était absent. Quand il partait en tournée – parfois plusieurs mois –, elle tombait dans un profond état d'abattement, malgré les lettres échangées, toujours aussi régulières, toujours porteuses de promesses, parfois écrites en allemand, parfois en français, selon l'inspiration du moment :

« Marie, Marie,

Oh ! Laissez-moi vous répéter ce nom. Cent fois ! Mille fois. Voici trois jours qu'il vit en moi, qu'il m'oppresse, qu'il me brûle. Je ne vous écris pas, non ! Je suis auprès de vous, je vous vois, je vous entends. L'éternité dans vos bras. Le Ciel, l'Enfer. Tout, tout en vous, en vous encore ! »

Ou encore :

« Ce matin, j'ai pleuré en lisant vos deux lettres qui me sont parvenues ensemble. Puis je me suis mis à marcher dans le jardin. Je me sentais vivifié, tout embrasé d'amour infini. Le soleil dardait ses rayons sur mes longs cheveux. Mon âme était près de la vôtre. Je ne parlais, ni priais. Il me souvenait. Vous étiez presque là, à peine un vague et secret espoir s'agitait lentement dans ma poitrine. Que Dieu ait pitié de nous et qu'Il nous bénisse, qu'Il fasse briller sur nous la lumière de Son visage. La terre enfantera Son fruit. Le Dieu que nous adorons nous comblera de joie. »

Était-elle si sûre de ce bonheur nouveau ? À la fin de l'année 1834, la pire des épreuves lui fut imposée par le destin, comme une sorte de prix à payer à la fatalité, comme une vengeance du ciel, en auraient déduit les bigotes si elles avaient été informées de sa liaison avec un homme non seulement plus jeune qu'elle, mais encore d'un milieu social indigne de sa condition : sa fille Louise, âgée de quatre ans, tomba malade à Croissy. Les médecins ayant diagnostiqué une méningite, on la ramena à Paris pour la soigner, mais en quelques jours le mal empira avec une effrayante célérité. Nuit et jour, Marie veilla l'enfant à demi inconsciente, jusqu'à ce fatidique 12 décembre où ce fut la pathétique fin, telle que Marie la décrivit elle-même : « Une heure s'écoula. L'enfant, sans avoir parlé, parut s'endormir d'un bon sommeil. Pour la première fois depuis deux jours, je passai dans la pièce voisine afin de mettre un peu d'ordre dans mon habillement. Mais à peine m'étais-je éloignée du lit qu'un inquiet instinct m'y ramenait. Quel effroi, grand Dieu ! L'enfant s'était dressée sur son séant. Ses yeux étaient ouverts et hagards. Je m'élançai vers elle. Elle jeta ses bras à mon cou dans un mouvement d'épouvante, comme pour fuir une main invisible. Je la serrai sur mon sein. Elle poussa un cri, et je sentis son corps affaissé peser d'un poids inerte sur ma poitrine. »

Marie s'évanouit aussitôt. Ses domestiques durent la transporter dans sa chambre où, pendant quelques semaines, elle vécut une sorte d'anéantissement. Ce fut son mari qui se chargea de veiller le petit corps avec le prêtre, puis présida aux funérailles au cimetière du Montparnasse tandis que Marie, à demi morte elle-même, suffoquait dans son lit et, naturellement, culpabilisait en réalisant que le temps passé avec Liszt avait constitué autant d'instants dérobés à son enfant. Plus livide que jamais, elle erra pendant des semaines dans les couloirs de son hôtel, s'enferma des heures durant, hurla, pleura, et même se débarrassa de son autre fille, dont elle ne supportait plus la vue, en la faisant expédier au couvent du Roule puis à celui des Oiseaux. Toute la maison pensa alors qu'elle allait perdre la raison, et Paris la plaignit sincèrement, comprenant qu'elle refusait toute visite, que le temps des grands soupers de naguère était révolu, et même celui des concerts.

Et Franz ? Il comprit lui aussi sa douleur et s'éloigna discrètement de la capitale, pensant qu'il était inutile de tenter de la joindre, croyant aussi qu'elle ne lui pardonnerait jamais de l'avoir distraite de ses devoirs. Mais bientôt il revint, et elle n'eut pas le courage de lui fermer sa porte. Plus que jamais elle avait besoin de lui, de sa présence, de cet amour dont elle dit un jour elle-même qu'il « n'était pas seulement une régénération, mais un devoir impérieux, inéluctable ». Et c'est lui qui la consola. Progressivement, il la ramena à la vie par sa présence, ses attentions, tout en sollicitant son aide pour mettre au point une série d'articles qu'il entendait publier pour réhabiliter le statut des artistes et assurer la promotion de la musique, un art humanitaire par excellence, sachant que le travail est le souverain remède à tous les maux. Ainsi, la tragédie finit par les rapprocher davantage, comme si la mort de l'être innocent avait effacé les scories du passé, libéré Marie de ses chaînes et donné le signal de lever l'ancre du navire. Et puis elle était si belle en noir, dans ses voiles de deuil, si désirable, si fragilement attirante ! Il fut patient, attentif, tendre, et au bout de quelques mois, elle finit par reprendre goût à la vie, même si, jusqu'à son dernier jour, elle allait porter dans son cœur une inguérissable blessure qui jamais ne pourrait se refermer.

C'est au fil de leurs longs moments d'intimité que l'idée de partir, et de partir ensemble, mûrit dans leur esprit, ce qui transparaît parfaitement dans la correspondance des amants. « Le jour où vous pourrez me dire de tout votre esprit, de tout votre cœur, de toute votre poitrine et de toute votre âme : Franz, effaçons, oublions, pardonnons à jamais tout ce qu'il y a d'incomplet, d'affligeant et de misérable peut-être dans le passé, soyons tout l'un à l'autre car à cette heure je vous comprends et vous pardonne autant que je vous aime, ce jour-là, et que ce soit bientôt, nous fuirons loin du monde, nous vivrons, nous aimerons et nous mourrons seuls ! » lui écrit-il.

Quand prirent-ils la décision capitale ? On l'ignore, mais ils la prirent et elle fut irrévocable. Rien ne pouvait désormais ébranler la volonté de ces deux êtres parfaitement honnêtes qui ne pouvaient tricher avec leur vie. Deux êtres particulièrement entiers, incapables de composer. Pour eux, c'était tout ou rien, tout en fait, depuis que Marie savait que, pour la troisième fois de sa vie, elle était enceinte. Dieu lui envoyait-il un signe et lui redonnait-il d'un côté ce qu'il lui avait pris de l'autre ? C'est ainsi qu'elle voulut bien le comprendre, et Franz avec elle. L'abbé de Lamennais, mis dans la confidence par Liszt, se crut alors autorisé à venir sermonner la comtesse en son propre hôtel, allant jusqu'à la supplier à genoux de renoncer à cette folle entreprise ! Mais il ne put venir à bout de l'obstination courtoise mais ferme de cette femme amoureuse et bien décidée à fuir son ancienne vie, à se libérer de son passé, des convenances et des préjugés, telle qu'elle se peignit par la suite : « Éperdue, défaillante, je sentis que toute ma volonté m'abandonnait. Un voile s'abaissait sur mes paupières. Franz n'entendait plus mes paroles entrecoupées. Se répondant à lui-même : “Où allons-nous ? s'écria-t-il. Que m'importe ! Si nous sommes heureux, ou malheureux, qu'en sais-je ? Ce que je sais, c'est qu'il est trop tard pour vouloir autre chose, c'est que je vous aime, c'est que je romps vos liens, c'est que dans la vie ou dans la mort, nous sommes unis à jamais.” »

Il n'était plus question de tergiverser, d'attendre, de réfléchir, d'autant que les billets de Liszt se faisaient plus pressants : « Mon cœur déborde d'émotion et de bonheur ! Je ne sais quelle langueur céleste, quelle volupté immense me pénètre et me consume tout entier. Il me semble que je n'avais jamais aimé, jamais été aimé ! Tout cela vient de vous, sœur, ange, femme, Marie ! Mon Dieu, ne nous sépare jamais, aie pitié de nous ! Non, non, ce n'est pas en vain que, déjà, notre chair et notre âme se vivifient et s'immortalisent par Ton verbe qui crie dans nos entrailles. Merci, mon Dieu, pour tout ce que Tu nous as donné et tout ce que Tu nous prépares. *This is to be, to be.* »

Et aussitôt, Marie prévint son mari, en lui envoyant de Croissy une lettre, datée du 26 mai 1835, sobre et ferme à la fois : « Je vais partir, après huit années de mariage, nous allons nous séparer pour toujours. Je n'ai aucun tort à vous reprocher, vous avez toujours été pour moi plein de cœur et de dévouement. Je ne me dissimule cependant aucun de mes torts et je vous en demande pardon sur la tombe de Louise. Votre nom ne sortira jamais de ma bouche que prononcé avec le respect et l'estime qui sont dus à votre caractère. Adieu. Je fais des vœux pour que, à défaut du bonheur qui n'est possible ni pour vous ni pour moi, vous trouviez au moins le repos et la paix. »

Personne d'autre n'avait été mis dans la confidence, à l'exception de Lamennais, de Chopin et de Mme Liszt. Devant cet ultimatum, le vieux soldat resta de marbre. Blessé au plus profond de lui-même dans sa dignité d'homme et de mari, ce Languedocien introverti répondit par le silence. Il n'y eut ni cris, ni reproches, ni scène, mais un silence total, comme un puits sans fond ou un mur d'incompréhension. « Seul le silence est grand, tout le reste est faiblesse », eût dit Alfred de Vigny. Dès le début, le mari comprit sans doute que la décision de sa femme était irrévocable et qu'elle allait entraîner pour lui les plus grandes complications, à commencer par ses revenus, qu'il ne tenait que d'elle. Il se résigna devant la fatalité, consentit à quitter son confortable hôtel du quai Malaquais pour un appartement plus modeste, à renvoyer l'imposante domesticité, à renoncer à ses parties de chasse à Croissy. Jusqu'au bout, il fut parfait, ne prononçant jamais le moindre mot sur celle qui, malgré tout, allait rester sa femme – le divorce étant inenvisageable ! –, n'émettant aucune critique, tant en public qu'en privé. Dieu la lui avait donnée, Dieu la reprenait. Il se soumit.

Et leur fille ? On lui raconta, comme on fait toujours en pareilles circonstances, que « maman » était partie pour un long voyage dont elle reviendrait bientôt. Les religieuses du couvent des Oiseaux firent un peu plus attention à elle, c'est tout. Le comte d'Agoult, plus tard, devait demander à sa belle-mère de s'intéresser à Claire, dès lors qu'ayant grandi on ne pouvait plus guère lui cacher la vérité. Comment, elle, vécut-elle cette séparation de l'intérieur ? Sans doute avec tristesse, d'autant qu'il n'y eut ni adieux ni promesses. La dure société aristocratique de l'époque ne prêtait pas trop d'attention à ces blessures de l'âme des enfants, dont on n'attendait qu'un comportement social conforme à leur état. Le soir, au dortoir, elle songeait à cette mère si belle et si brillante qui avait mystérieusement disparu, et elle construisait des romans dans sa tête. Au bout du compte, elle ne lui en voulut pas trop, sachant d'instinct qu'un jour, elle la reverrait, ce qui, effectivement, fut le cas au bout de quelques années.

Le 28 mai 1835, la comtesse d'Agoult quitta donc Paris sans se retourner, sans avoir revu son mari ni sa fille. Elle emportait avec elle ses bijoux, sa garde-robe, ses affaires les plus personnelles et une provision de lettres de change. Elle fit étape à Francfort chez sa mère et lui confia son terrible secret. Elle ne s'y attarda pas, pressée qu'elle était de partir, de rompre avec son passé et de mordre à belles dents dans son avenir, indifférente à ce que Paris allait dire, indifférente aussi aux imprécations de Mme de Flavigny qui, d'abord à grands cris, ensuite plus tendrement, tenta pendant des semaines de la faire revenir chez elle, la pressant d'oublier son trop beau pianiste. Lorsque la chose fut connue dans la capitale, ce fut une tempête, surtout dans le Faubourg, où la nouvelle s'était répandue comme une traînée de poudre. On ne parla plus que de cela pendant les jours et les semaines qui suivirent, certains profitant de l'occasion pour dénigrer celle qui fut longtemps un objet d'admiration, pour ne pas dire d'adoration, que beaucoup jalousaient en secret : « Quel scandale ! Quelle honte ! Comment a-t-elle osé ? Un homme plus jeune qu'elle ! Un artiste ! Et son pauvre mari, sa pauvre fille auxquels elle n'a pas pensé ! Cette femme est folle, assurément... Au reste, c'est sans doute de famille. Savez-vous que sa demi-sœur, Augusta Bussmann, fille du premier lit de sa mère, avait naguère contraint le poète Clemens Brentano à l'épouser en l'enlevant dans sa propre voiture où elle l'attendait en robe de mariée ? Que l'archevêque de Ratisbonne a pris sur lui d'annuler ce mariage et que la jeune femme s'est suicidée en se jetant dans le Main ? C'est certain, c'est elle qui a eu une si surprenante idée, pas lui... »

Et cela continua avec des variantes. D'autres, en effet, moins bien informés, racontaient à qui voulait les entendre que c'était avec George Sand que Liszt s'était enfui. Certains suggéraient que l'objet du délit, Mme d'Agoult ou Mme Sand, avait quitté Paris caché dans un piano à queue ! Seuls deux êtres demeuraient silencieux, pressentant que toute cette affaire allait mal finir : le comte d'Agoult et Anna Liszt, l'un et l'autre murés dans le silence de la rue de Beaune et de la rue de Provence.

Mais qu'importaient ces sornettes à Marie qui, le cœur haletant, franchissait à présent la frontière suisse et retrouvait Franz à Bâle, à l'*Auberge des Trois Rois*, célèbre en Europe par le nombre de voyageurs qui y faisaient alors étape. Une adresse de choix : Chateaubriand y venait souvent réfléchir, et lui aussi se moquait bien de ce que pensait le monde, lui qui n'avait à rendre compte qu'à sa grande œuvre, ses *Mémoires d'outre-tombe* qu'il rédigeait depuis que les honneurs l'avaient fui, sinon la gloire. À quelques semaines près, ils auraient pu s'y croiser, et sans doute Chateaubriand n'aurait-il rien dit, plus indulgent qu'il était pour le péché d'amour que pour celui de politique.

Seules celles qui n'avaient pas eu la faveur d'être « enlevées » par le beau virtuose et qui, probablement, en avaient secrètement rêvé, se taisaient, l'esprit errant dans un monde désormais inaccessible. Mais la médisance se propagea partout à la vitesse de l'éclair. Balzac lui-même, pour une fois mal inspiré, se crut autorisé à railler « madame d'Agoult, Tourangelle pâle, jaunasse, cheveux traînants, maigre, assez désagréable à voir, nerveuse, qui, dit-on, aimait Listz *[sic]* depuis longtemps, en toute tranquillité du mari ». L'auteur de *La Comédie humaine* jalousait-il ce pianiste hongrois qui avait pris dans ses filets une si belle comtesse ? À chacun la sienne. Balzac s'en trouvera une bientôt, allant justement la chercher à l'Est, dans une autre plaine slave, celle de l'Ukraine. « Sa » comtesse était-elle plus belle que celle de Liszt ? Cela restait à prouver !

À Bâle, les deux amants tombèrent dans les bras l'un de l'autre, tout à la fois intimidés, surpris, étonnés et stupéfaits de leur audace. En quelques jours à peine, ils avaient radicalement modifié le cours de leur vie, avec autant de détermination que de courage. À présent, ils étaient libres de s'aimer sans se cacher, d'aller à leur guise, de construire ensemble une nouvelle existence dont ils ne doutaient pas un instant qu'elle serait éternelle et merveilleuse. N'étaient-ils pas des héros, des êtres au-dessus du commun des mortels, au-delà des préjugés de classe ? Leur vie était un roman, et ce roman, ils allaient l'écrire ensemble.

III

Les années de pèlerinage

Triomphe de l'amour, que tu fus en nous complet
et magnifique ! Sur quelle scène grandiose,
dans quelle profondeur des solitudes,
tu déployas tout à l'aise ton cortège d'illusions !
À travers quels silences et quelles solennités !

Marie D'AGOULT

De Bâle à Constance, puis de Constance à Genève, ce furent d'abord de merveilleuses grandes vacances, un moment dérobé au temps, au devoir, à la malveillance, à la jalousie, un miraculeux point d'équilibre dans une vie. Cinq semaines d'un bonheur absolu, deux mois d'extase durant lesquels ils s'aimèrent chaque nuit avec fougue, se promenèrent inlassablement chaque jour, sans se préoccuper de la presse, de la correspondance, de l'avis des braves gens qu'ils croisaient sur les chemins et qui, sans doute, les prenaient pour de jeunes mariés en se fondant sur leurs regards extatiques et l'étroite complicité les unissant. Tout enchanta le couple : les chutes du Rhin et le lac de Wallenstadt, les troupeaux paissant paisiblement dans les alpages, les petites auberges de campagne où ils déjeunaient de grand appétit, le grand air de l'altitude et le charme des sapinières, les jeunes gens en costume traditionnel et la gentillesse de leurs hôtes, la beauté de l'abbaye d'Einsiedeln et la chapelle de Guillaume Tell, comme autant de découvertes, de sujets d'inspiration, de joies simples et sincères. « Remparts de granit, monts inaccessibles que vous dressiez entre le monde et nous, comme pour nous dérober à sa vue, écrivit-elle, vallons cachés, noirs sapins qui nous enveloppiez de votre ombre, murmures des lacs, sourds grondements des précipices, rythmes prenants et doux des sites alpestres qui donniez à notre ivresse d'un jour je ne sais quel accent des choses éternelles, fantômes douloureux et chers de ma jeunesse, je vous évoque ici, dans ma mémoire émue. »

Le printemps était magnifique. Il faisait beau, personne ne les reconnaissait. Marie admirait avec fougue la beauté des cimes encore enneigées qu'elle n'avait fait que voir sans les regarder lorsque son mari l'avait emmenée dans les Alpes, il n'y avait pas si longtemps. Mais sa lune de miel, c'était à présent qu'elle la vivait, comme si la première n'avait été qu'une sorte de morne répétition qui ne lui avait apporté qu'ennui et lassitude. Aujourd'hui, tout était différent et imprévu, comme cette escapade en barque sur le lac des Quatre-Cantons qui faillit tourner mal lorsqu'un gros orage manqua les faire chavirer. Telle la Béatrice de Dante, elle se voulait toute à son compagnon, tour à tour muse et maîtresse, épouse mystique, charnelle et fatale, se nourrissant de sa différence avec les autres femmes, ce qui allait lui faire écrire par la suite : « Ma passion pour Franz tenait du fanatisme. Je voyais en lui un être à part, supérieur à tout ce qui m'était jamais apparu. Disposée, comme je l'étais, aux superstitions du cœur, j'en arrivais parfois, dans une sorte de délire, à me sentir appelée par Dieu, offerte en quelque sorte à la grandeur, au salut de ce génie divin qui n'avait rien de commun avec le reste des hommes et ne devait pas subir la loi commune ! Dans ces extases amoureuses qui me venaient sans doute du sang germain, rien ne me paraissait plus devoir rester en moi, désirs, volonté, affections, devoirs, conscience même, que pour lui être immolé. J'aurais voulu être une sainte de l'amour, je bénissais mon martyre. [...] C'était une passion dévorante, une lutte cruelle entre deux natures, toutes deux sincères, nobles et dévouées, mais toutes deux orgueilleuses et insatiables. Lui sentant et voulant l'amour en homme jeune, indompté, surabondant de vie. Moi en femme de vie. Moi en femme défiante à l'égard de la destinée, brisée par douleur, rêveuse et détournant la vue des réalités pour me perdre dans une idéalité impossible. »

Comme toute la génération romantique, leur goût des paysages était réel, et leur admiration non feinte, ce que Liszt résuma d'une formule : « Je ne vis pas en moi-même, je suis une part de ce qui m'entoure. » En Suisse, Marie et Franz, libérés du carcan parisien, redécouvrirent la beauté de la nature et le rôle considérable qu'elle jouait dans leur inspiration, littéraire chez elle, musicale chez lui. Le seul fait de marcher ensemble au pied des montagnes, de se réveiller le matin au chant du coq, de voir, sentir, entendre les électrisait véritablement. En pleine communion champêtre, et même rustique, au sens vertueux que donnaient les Anciens à ce mot, ils dévorèrent l'*Oberman* de Senancour ou le *Jocelyn* de Lamartine, contemplèrent le coucher du soleil sur le lac de Lucerne, vibrèrent à l'unisson de ce mélange de nature, de sentiments et de sensations par lequel deux êtres de nature différente atteignaient l'absolu. La vie était douce, le passé aboli. Ils ne croyaient désormais plus qu'en un avenir radieux, construit par la force de leur amour que symbolisait le petit être qu'elle portait en elle et qui, bientôt, apparaîtrait à la face du monde pour crier tout haut le miracle de leur rencontre.

Le 19 juillet 1835, le couple arriva à Genève, dont Liszt décrivit avec talent le canton, voyant : « se presser sur son territoire une multitude de grandeurs effacées, de royautés déchues, de puissances éteintes... rois, ministres, généraux d'armées balayés par le vent... nation marquée au front d'un mystérieux anathème. » Cette Suisse que George Sand restitue dans sa *Xe Lettre d'un voyageur*, mais la voix qui l'inspire c'est encore celle de Liszt lui-même : « Cette Suisse qui feint de prendre une attitude fière, et qui, tandis que plusieurs milliers d'Anglais y étalent leur oisiveté, chasse les réfugiés de son territoire ! Cette république qui s'unit aux monarchies pour traquer comme des bêtes fauves les martyrs de la guerre républicaine. » Là il prit ses quartiers à l'hôtel des *Balances*. Quelques jours plus tard, un élève de Liszt, Pierre Étienne Wolff, leur trouva un petit appartement au quatrième étage d'un immeuble situé à l'angle de la rue des Belles-Filles et de la rue Tabazan, au cœur de la ville haute, la plus ancienne, celle aussi dotée de la plus belle vue sur les montagnes du Jura avec en contrebas la plaine et ses villas cernées de romantiques jardins. Comme une jeune épousée, Marie prit plaisir à aménager ce nid modeste, mais douillet, autour de l'inévitable piano Érard du maître sur lequel, les vacances terminées, il se remit à travailler. Pour autant, qu'on n'imagine pas la comtesse d'Agoult jouant les cendrillons. Indifférente aux lieux de vie, cette intellectuelle, qui n'avait aucun sens de la gestion d'un ménage et des mille et un détails de la vie quotidienne, s'en remit aux domestiques qu'ils engagèrent sur place. Peu importait où se trouvait la cuisine, dans laquelle elle ne mit sans doute jamais les pieds, et comment le déjeuner et le dîner arrivaient sur sa table ! Seuls comptaient le salon où se tenait sa société et la chambre où, dans l'intimité de la nuit, Franz et elle s'enivraient d'amour. Le reste tenait en deux objets magiques : le piano, où Liszt réinventait le monde, et son secrétaire, où elle écrivait.

Quelques lettres arrivèrent de France, le plus souvent des missives de sa mère et de son frère pour l'exhorter à rentrer dans le droit chemin, à solliciter le pardon de son mari, qui le lui aurait facilement accordé, et à renoncer à cette « fatalité funeste » qui l'avait entraînée malgré elle. Un moment de folie est vite oublié. Tout pouvait recommencer comme avant ! Marie haussait les épaules. Du balcon elle plongeait son regard bleu sur l'immensité d'une nature encore intacte, se disant qu'elle avait brûlé ses vaisseaux et que tout retour en arrière était impossible. Cette nature allait-elle la protéger ? Certainement pas. Les nouvelles de Paris ayant enfin passé la frontière, la paisible, austère et puritaine Genève apprit que la femme avec qui vivait le maestro – et qui plus est enceinte de ses œuvres ! – n'était pas son épouse légitime, mais celle d'un autre. L'adultère public choqua les bonnes âmes calvinistes. Marie sentit qu'on la regardait de travers et compara sa situation à celle d'« une carpe sur le gazon » ! Plus que jamais, elle qui avait toujours été indolente se réfugia en elle-même, glissant cependant parfois à Liszt quelque avertissement mystérieux : « Il ne me reste que vous, Franz. Vous êtes à présent toute ma vie. Si je devais être déçue par vous, j'en mourrais. »

Elle n'y pouvait rien. Malgré ses vœux, son passé la rattrapait. Elle devait l'oublier, mais elle n'y parvenait pas : « Je revoyais la maison, le foyer, ma chambre de jeune fille, les jardins où jouait mon enfant, l'église où j'avais tant prié et pleuré, la tombe de mon père, et de partout, j'entendais sortir une voix plaintive qui m'appelait tout bas : "Marie, Marie…" » Mais elle chassait ce souvenir en pensant à l'autre enfant, celui qu'elle portait, et qui, contrairement aux précédents, était le fruit de son amour.

Une petite société se constitua cependant autour d'eux, composée des élèves de Liszt, parmi lesquels le très jeune Hermann Cohen venu de Paris avec sa mère, le politicien James Fazy, le Dr Coindet, Edmond Boissier, le savant botaniste Pyrame de Candolle, l'historien Charles de Sismondi, naguère grand ami de Mme de Staël, le poète Louis de Ronchaud, ancien secrétaire de Lamartine et futur directeur des Beaux-Arts, l'orientaliste Alphonse Denis, le philosophe Adolphe Pictet, et le prince Belgiojoso, réfugié politique italien dont la magnifique voix de ténor vibrait dans le salon. Bien sûr, ce n'étaient là que des marginaux, aucun représentant de la haute société genevoise ne se risquant dans cet antre de la perdition. Mais progressivement, le salon de Marie d'Agoult se reconstitua, entre hommes d'esprit et musiciens, entre conversations et concerts. Elle était la seule femme et cela ne lui déplaisait pas, puisque même la princesse Belgiojoso ne venait pas. Ce qui valait mieux, du reste, car celle-ci ne ménageait pas ses efforts pour attirer Liszt dans son lit, tout en reprochant à Marie d'avoir fait ce dont elle-même rêvait ! Quant aux Genevoises, cela ne valait même pas la peine d'en parler. La comtesse d'Agoult ne se privait pas de railler leur tournure provinciale, leurs mœurs petites-bourgeoises et leurs préjugés religieux. Mais pour elle, qu'était alors Genève, sinon une cité qui, loin d'avoir l'importance qu'elle allait prendre par la suite, était surtout connue comme une villégiature peu chère dans laquelle les Européens allaient se refaire une santé à bas prix quand ils se trouvaient en difficulté budgétaire ? Que représentaient à ses yeux ces bourgeoises face à une aristocrate de vieille souche ? Qu'étaient ces marchands devant un esprit comme le sien ? Et il est vrai que nul ne contestait sa supériorité intellectuelle, l'étendue de sa culture, la sûreté de son jugement quel que fût le sujet abordé. Le journal de Mlle Boissier rend compte d'une de ces soirées, telle que la lui a racontée son frère : « Edmond passa hier la soirée chez Liszt. Madame la comtesse d'Agoult recevait ! C'était une reine sur son trône ! Pas le moindre embarras, pas trace de timidité, l'air digne, noble, aisé. Femme d'esprit à reparties, à saillies ; bien française, de bon ton. Plus jeune, pas jolie *[sic]*, mais à physionomie, à caractère... On causa. La comtesse fut très aimable, aborda tous les sujets d'entretien, disserta sur Paris, la littérature, sur les sciences, sur les passions. Elle parla de la société parisienne comme si elle en faisait toujours partie. Elle fut telle, dit Edmond, qu'au bout d'un quart d'heure, on se croyait chez une femme mariée et qu'on n'y pensait plus. Liszt était digne, sérieux, un peu empesé, recevant conjointement avec la comtesse, avec une politesse cérémonielle. »

Quand ils n'étaient pas en représentation, ils travaillaient. Marie corrigea la suite de ses articles pour *La Gazette musicale* et continua à en écrire d'autres, dont le premier porta sur *Les Contempla-*

tions de Victor Hugo. Liszt composait d'arrache-pied, commençant ses *Années de pèlerinage* qui allaient être l'une des œuvres essentielles de sa création pianistique. Mais la solitude n'étant guère dans son tempérament, il fréquentait assidûment la société genevoise, qui se l'arrachait, et donnait nombre de récitals, attirant des foules de mélomanes de plus en plus nombreux. Marie y assistait incognito, cachée dans une loge grillagée, laissant le maître à ses adorateurs – ou, mieux, à ses adoratrices – qui le vampirisaient à la fin de chaque représentation. Franz ne consentait à ouvrir le cercle que pour laisser pénétrer quelque auguste visiteur. Tel fut le prince Jérôme Bonaparte, frère de l'empereur, accompagné de sa fille Mathilde, dans laquelle Marie vit « une colombe posée sur une ruine ». Tout à ses succès, il inventa même une audacieuse nouveauté, le « monoconcert », c'est-à-dire un récital où lui seul jouait, contrairement à la tradition qui, jusque-là, voulait que plusieurs artistes se partagent la vedette. Désormais, le public n'allait entendre que lui, du début à la fin ! Et non seulement dans les œuvres des autres – Mozart, Weber, Beethoven, Hummel –, mais encore dans les siennes. Ce fut du délire : « On nous fait espérer que M. Liszt ne nous quittera pas de sitôt, et que nous pourrons encore quelque temps jouir et profiter de son séjour à Genève », mentionnait *Le Fédéral* du 6 octobre. Ainsi, quand il arrivait aux concerts des autres, on l'applaudissait, on lui dédiait des récitals, on lui donnait la place d'honneur. Quand on l'invitait à un banquet, il le présidait. Quand on publiait un poème, il en était l'inspirateur, comme celui paru dans le même *Fédéral* du 15 avril 1836, dans lequel on pouvait voir une déclaration d'amour :

Il s'assied ; regardez ! Sur son front pâlissant
Le précoce génie a gravé son empreinte ;
Il allume le feu de ce regard puissant
Où l'âme de l'artiste est peinte.
Son sourire à la fois mélancolique et doux,
D'un charme inexprimable embellit son visage,
Comme luit un rayon au ciel plein d'orage...
Il prélude ; écoutez ! Amis, recueillez-vous.
Sous ses doigts inspirés la touche obéissante,
S'anime et fait entendre une langue éloquente,
Langue passionnée et qui va droit au cœur...

Liszt donnait aussi des cours très suivis – et très rémunérateurs – dans les familles les plus fortunées de la cité, ou au conservatoire que François Bartholini venait d'ouvrir. Il assurait la classe de piano avec Pierre Wolf, formant toute une génération de jeunes filles, dont Mlles Raffard, Darier, Calame et Brand, pour lesquelles il rédigea alors sa fameuse *Méthode,* demeurée inachevée. Grâce à son livre de la *Classe de piano – Dames* on peut relever quelques annotations amusantes sur les élèves du niveau supérieur du conservatoire de musique de Genève :

« Raffard Julie : Sentiment musical très remarquable. Très petites mains. Exécution brillante.

Wallner Joséphine : Molle, flasque, et paresseuse. Facilité pour déchiffrer. Nul soin dans l'étude. Plus d'avenir – à moins de travail forcé. »

Enfin, pour la dernière, le commentaire est d'autant plus laconique que l'admiration est vive :

« Mademoiselle Gambini Jenny : beaux yeux ! »

Il est vrai que les subsides apportés par Marie avaient fondu comme neige au soleil, et il lui fallait à présent assurer l'avenir de son foyer. D'autant que, le 18 décembre 1835, Marie mit au monde un enfant, sa troisième fille mais la première de Liszt, qu'il prénomma Blandine. Mais s'il n'avait aucun problème pour la reconnaître pour sienne, il n'était pas question que Marie, toujours épouse de Charles d'Agoult, pût faire de même. On fit donc un faux, mentionnant que la nouveau-née était « la fille naturelle de Franz Liszt, professeur de musique, et de Catherine Adélaïde Méran, rentière, âgée de vingt-quatre ans *[sic]*, née à Paris, tous deux domiciliés à Genève », que signèrent les témoins Pierre Wolf et James Fazy, le futur maire de Genève.

En prenant dans ses bras le délicieux bébé, aussitôt surnommé « Filliote », Marie eut-elle la prescience de son destin ? Dans trente ans, cette adorable petite « bâtarde » allait être la femme du Premier ministre de la France ! Les mères reportent inévitablement leurs rêves sur leurs enfants. En pouponnant, elle songeait sans doute qu'un destin attendait cet être minuscule. Comment eût-il pu en être autrement ? Le sang de Liszt ne s'était-il pas mélangé au sien pour produire une alchimique perfection ?

Si Franz ne pouvait se lasser de son premier enfant, le monde ne l'en accaparait pas moins et son public se faisait de plus en plus pressant, qui exigeait sa présence non seulement à Genève, mais encore à Paris, où il se rendit à plusieurs reprises pour jouer, sacrifiant au passage à son sens privilégié de l'amitié. Chopin, Meyerbeer, Berlioz, Érard le réclamaient, mais aussi Delacroix, Vigny et Musset, qui l'entraînèrent dans d'innombrables dîners.

Bien qu'elle tâchât de n'en rien montrer, Marie souffrait de la distance mais aussi du poison mortel de la jalousie. Elle savait combien les femmes rôdaient autour de cet homme si jeune, si beau et déjà si célèbre qui les étourdissait par son incroyable talent et son irrésistible charme. Il avait beau lui écrire, dans l'une des vingt-deux lettres qu'il lui adressa : « J'ai besoin de vous voir, de vous regarder, de vous contempler, de rester de longues heures à vos pieds. Vous me rendrez ma vie, n'est-ce pas ? Mais ma vie régénérée, glorifiée par vous et vous », ou encore : « Je crains que ma lettre d'hier vous ait fait de la peine. Je me sens triste et troublé au-dedans de moi. Je me fais trop de besoin de vous, je ne saurais jamais rester dix jours loin de vous », elle n'était guère rassurée et souffrait chaque jour davantage. Toujours veillée par le jeune Ronchaud, qui l'adorait en secret, elle remarquait à peine sa présence, trop occupée à se concentrer sur les portraits inspirés que les admiratrices faisaient de son compagnon, Mme Mérienne ou Mme Bernard-Chaix, dans lesquels elle tentait de pénétrer la teneur de leurs sentiments.

En fait, elle connaissait le dilemme de toutes les femmes vivant avec un homme célèbre : comment le garder près de soi, pour soi seule, et en même temps l'empêcher de se livrer à cette célébrité qui, justement, l'avait séduite ? Le retenir à la maison ? C'était l'asphyxier ! Le laisser aller à sa guise ? C'était se tuer à petit feu en se disant que, forcément, il serait un jour séduit par une autre, combat absurde qui ne pouvait que croître avec le temps ! Désormais, sacrifiant plus que jamais à son habituelle mélancolie, elle était destinée à l'attendre, à demeurer en retrait, à le servir, se distrayant en traduisant les philosophes allemands ou en progressant dans l'histoire de l'art, les deux pôles de sa vie intellectuelle jusqu'à la fin. Tout au moins réussirait-elle à styler Franz, à lui apprendre les manières du grand monde, et même à s'habiller avec goût, ce qu'il ne savait faire auparavant, sacrifiant volontiers au clinquant, à l'image de ceux dont le succès est arrivé trop vite. Mais était-ce pour cela qu'elle avait changé de vie ? Elle n'osait encore se poser cette question, à laquelle il lui avait peut-être répondu en lui offrant, peu après la naissance de Blandine, une bague ornée de la devise : *In alta solitudine.*

Il était clair que celle qu'il avait surnommée « Ensa la fine », fine lame, avait besoin d'aide, lorsqu'il aperçut cette feuille cachée dans un tiroir, sur laquelle elle avait écrit : « Tristement, tout bas avec le poète, je redis cette parole profonde, que je ne savais pas avoir retenue : "J'ai un ami, mais ma peine n'a pas d'ami." » Se demanda-t-il si elle était heureuse ? Mais un homme est-il capable de comprendre les sentiments profonds d'une femme ?

Bien sûr, il l'aimait – c'était incontestable –, mais il avait sa vie à mener et elle n'en composait qu'une partie. Pendant la journée, il était occupé, sollicité, réclamé par ses amis, ses connaissances, son public. Il devait travailler son piano, composer de nouvelles partitions, en transcrire d'autres. Terrible et magnifique égoïsme des pianistes qui remplissent l'espace de leurs sons fascinants et terribles, et que les mortels ne peuvent déranger, au risque de briser le sortilège ! Seul le public, au fond, était convié dans le temple sonore. La compagne se considérait fatalement comme un faire-valoir, celle qu'on retrouve quand on descend de cet Olympe inaccessible qu'on appelle le génie !

Un ange tombé du ciel vint alors pour calmer la détresse de Marie, ou tout au moins le crut-elle au début, en recevant cette lettre : « Ma belle comtesse aux cheveux blonds, je ne vous connais pas personnellement, mais j'ai entendu Franz parler de vous et je vous ai vue. Je crois que, après cela, je puis sans folie vous dire que je vous aime, que vous me semblez la seule chose belle, estimable et vraiment noble que j'ai vu briller dans la sphère patricienne. Vous êtes pour moi le véritable type de la princesse fantastique, artiste, aimante et noble de manières, de langage et d'ajustements, comme les filles des rois aux temps poétiques... »

Ainsi George Sand entra-t-elle dans la vie de Marie d'Agoult, elle aussi aristocrate en rupture de ban, arrière-petite-fille de fermiers généraux, petite-fille par la main gauche d'un maréchal de France, lui-même bâtard d'un roi de Pologne, baronne, de surcroît, par son mariage avec un homme à qui elle avait donné deux enfants mais dont elle venait de divorcer, et elle aussi bientôt maîtresse, compagne et mère de substitution d'un pianiste-compositeur, Frédéric Chopin, n'hésitant pas à sacrifier au culte de Sapho comme elle l'avait naguère prouvé avec Marie Dorval.

Avec fracas, talent et esprit, George menait une existence totalement libre, gagnait seule sa vie en écrivant des livres, s'intéressait à la politique, militait en faveur de la condition féminine et, lorsque cela lui plaisait, s'habillait en homme et fumait le cigare, indifférente à ce que l'on disait d'elle. Sauf ses amis, parmi lesquels son vieux complice Balzac, qui l'appelait « chère Maître » et lui reconnaissait toutes les qualités de cœur, de courage et d'honneur qui faisaient tant défaut aux hommes. Bien que presque voisines à Paris, où George habitait, elle aussi quai Malaquais, elles ne s'étaient jamais rencontrées et ne se connaissaient que de réputation. Pourtant, elles avaient nombre d'amis communs et, plus secrètement, nourrissaient un penchant pour la république. Liszt avait compté parmi les proches de George Sand depuis ses débuts dans la capitale et il lui manquait, bien qu'il n'y eût jamais rien eu entre eux, jusque-là tout au moins, que de l'amitié. Marie n'avait pas à être jalouse ; elle n'était pas « son type » et, de toute manière, elle allait bientôt avoir Chopin. En fait, George était curieuse de connaître cette fameuse comtesse dont l'aventure avait défrayé la chronique, de contempler « ce couple qui semblait vivre un de ses romans », et lui apporter sa caution morale, intellectuelle et amicale.

George allait avec ses enfants en villégiature à Chamonix, le nouveau village à la mode. N'était-ce pas une merveilleuse occasion de se rencontrer ? L'idée fut acceptée. Après avoir confié Blandine à une nourrice de confiance, Marie et Franz grimpèrent dans la malle-poste du voyage romantique, au milieu des bourgeois, des peintres et des étudiants en goguette. Le trajet fut charmant. Ils arrivèrent les premiers, le 8 septembre. Quelques heures plus tard, George débarqua, comme elle le raconta avec son humour habituel : « Je descends au hasard à *L'Union*, que les gens du pays prononcent Oignon, et cette fois, je me garde bien de demander l'artiste européen [Liszt] par son nom. Je me conforme aux notions du peuple éclairé que j'ai l'honneur de visiter, et je fais une description sommaire du personnage : blouse étriquée, chevelure longue et désordonnée, chapeau d'écorce défoncé, cravate roulée en corde, momentanément boiteux, et fredonnant habituellement le *Dies irae* d'un air agréable. "Certainement, Monsieur. [George était, comme à son habitude, en costume masculin], ils viennent d'arriver. La dame est bien fatiguée et la jeune fille est de bonne humeur. Montez l'escalier, ils sont au n° 13." Ce n'est pas cela, pensai-je, mais qu'importe. Je me précipite dans le n° 13, déterminée à me jeter au cou du premier Anglais spleenétique qui me tombera sous la main. J'étais crottée de manière à ce que ce fût là une charmante plaisanterie de voyageur de commerce. Le premier objet qui s'embarrasse dans mes jambes, c'est ce que l'aubergiste appelle la jeune fille. C'est Puzzi [Hermann Cohen], à califourchon sur le sac de nuit et si changé, si grandi, la tête chargée de longs cheveux bruns, la taille prise dans une blouse féminine que, ma foi, je m'y perds. Et, le reconnaissant, le petit Hermann, j'ôte mon chapeau en disant : "Beau page, enseigne-moi où est Lara ?" Du fond d'une capote anglaise sort à ce mot la blonde Arabella [Marie]. Tandis que je m'élance vers elle, Franz me saute au cou, Puzzi fait un cri de surpris. Nous formons un groupe inextricable d'embrassements, tandis que la fille d'auberge, stupéfaite de voir un garçon si crotté, que jusque-là elle avait pris pour un jockey, embrasser une aussi belle dame qu'Arabella, laisse tomber sa chandelle et va répandre dans la maison que le n° 13 est envahi par une troupe de gens mystérieux, indéfinissables, chevelus comme des sauvages, et où il n'est pas possible de reconnaître les hommes d'avec les femmes, les valets d'avec les maîtres. »

Les vacances commencèrent dans les cris, les rires, tandis que le portier de l'hôtel était confondu de perplexité devant les réponses inscrites sur son registre par ces singuliers clients que les touristes prenaient pour des... forains. Liszt, pour sa part, écrivit :

« Nom : M. Fellows.
Qualité : Musicien, philosophe.
Domicile : Le Parnasse.

Venant : Du doute.
Allant : Vers la vérité. »

Quant à George, elle suivit sur le même modèle :
« Nom des voyageurs : Famille Piffoëls.
Domicile : La Nature.
D'où viennent-ils : De Dieu.
Où vont-ils ? Au ciel.
Lieu de naissance : Europe.
Qualité : Flâneurs.
Dates de leurs titres : Toujours.
Délivré par qui : L'opinion publique... »

Bientôt rejoint par le fidèle Adolphe Pictet, surnommé « le Major » parce qu'il était officier de l'armée helvétique – et qui allait lui-même laisser un récit de ce séjour –, on excursionna pour admirer le mont Blanc, on organisa des pique-niques sur les sentiers, on marcha sur le glacier, on courut dans les alpages, on ramassa des bouquets de fleurs sauvages, on chanta. On se moqua des Anglais qui les examinaient comme des bêtes curieuses, on dessina des paysages, on se grisa, parfois, avec le petit vin du pays, et on parla longtemps de nature, de philosophie, de littérature, de musique et même de politique. Les enfants étaient ivres de grand air, George radieuse de joie de vivre, Franz et Marie plus épris que jamais l'un de l'autre.

Une fois épuisées les distractions de Chamonix, la folle caravane partit à dos de mulet pour Martigny, puis pour Fribourg, où Franz les régala d'un concert improvisé sur les grandes orgues de Saint-

Nicolas. « Jamais, écrivit George, son profil florentin ne s'était dessiné plus pâle, plus pur, dans une nuée plus sombre de terreurs mystiques et de religieuse tristesse. » Et Marie d'ajouter : « Sa chevelure, vigoureuse et abondante comme la crinière d'un jeune lion, semble participer à la vie de son cerveau. Son regard, rapide, éclaire et brûle comme le glaive d'un chérubin. Mais alors même qu'il est le plus passionné, le plus altéré de désirs, on sent que ses désirs n'ont rien de grossier et la plus délicate pudeur n'en saurait être offensée. Souvent, ce regard adouci et voilé se pose sur moi avec une invincible expression d'amour et de tendresse et fait pénétrer jusqu'à la moelle de mes os le senti d'un bonheur inconnu à ceux qui n'ont pas été aimés de la sorte. »

On eût dit qu'entre Franz et George, il y avait une recherche d'un *juste milieu* entre l'amour et l'amitié. Et, pour s'expliquer la force d'une telle affinité élective, Mme Sand fit appel à la réincarnation : « Je sens trop vivement votre musique pour ne pas en avoir entendu de pareille avec vous avant votre naissance. »

Puisqu'on ne pouvait plus se passer les uns des autres, la joyeuse équipée prit le chemin de Genève, où Franz et Marie aménagèrent pour George et ses enfants le grenier de leur petit appartement. Là, les deux amies ne se quittèrent plus. Pendant plusieurs mois, elles tinrent ensemble un salon où les habitués avaient repris leurs habitudes, tandis que Liszt se remettait au travail, allant jusqu'à mettre en musique certains textes de son amie, parmi lesquels *Le Contrebandier*, ou à lui dédier certaines pièces, comme son éblouissant *Rondo fantastique*. À Genève, la population s'offusqua une fois de plus de l'épouvantable spectacle qu'offrait ce couple adultère, une comtesse ayant quitté son mari et sa fille pour un artiste plus jeune qu'elle, vivant en communauté avec une baronne en rupture de ban, habillée en homme et fumant le cigare devant ses deux enfants élevés à la diable. Ce fut le commencement d'une intense et merveilleuse amitié.

Au fil des jours, en effet, Marie et George échangèrent des confidences, apprirent à se connaître et à s'aimer. « Vous avez trouvé un trésor dans Marie, gardez-le toujours », conseillait Mme Sand à Liszt, avant de lui écrire, plus tard : « Vous souvenez-vous de cette blonde Péri à la robe d'azur, aimable et noble créature, qui descendit un soir du ciel dans le grenier du poète et s'assit entre nous deux comme les merveilleuses princesses qui apparaissent aux pauvres artistes dans les joyeux contes d'Hoffmann ? » C'est que, plus fine que Franz, George avait percé le secret de Marie, son caractère dépressif, avec ses périodes mélancoliques et ses incertitudes. Et si Marie avait encore quelques doutes quant à ses choix, nul doute que George sut les dissiper très vite : « Ce n'est pas vous qui pouvez croire que l'atmosphère de la région aristocratique est plus viciée, plus corrompue que l'atmosphère des autres régions sociales... Votre rang est élevé et je le salue et le reconnais. Il consiste à être bonne, intelligente et belle. Abandonnez-moi votre couronne de comtesse et laissez-moi la briser, je vous en donne une d'étoiles qui vous va mieux... »

De quoi parlait-on dans ce salon de haute bohème ? De littérature, bien sûr, de musique, naturellement, mais aussi de politique, George entraînant Marie dans cette voie de gauche qu'elle avait choisie depuis plusieurs années déjà, à la grande surprise de Liszt, enfant d'une famille modeste et admis dans les cercles de l'aristocratie, qui ne comprenait pas comment on pouvait renier avec autant de désinvolture le faste des trônes et des autels qui l'attiraient tant. Ainsi lui apprit-elle que rien n'était plus important que la liberté, à commencer par celle d'être elle-même, ou du moins de le devenir. « Écrivez, écrivez, expliquait George à Marie, c'est la seule condition de votre indépendance, le salut de votre féminité », quitte à prendre un pseudonyme masculin, comme Delphine de Girardin l'avait fait en devenant le vicomte de Launay, comme elle l'avait fait elle-même. Marie n'allait pas oublier la leçon au moment où Daniel Stern se substituerait à la comtesse d'Agoult, comme George Sand s'était substitué à la baronne Dudevant.

Celle-ci ne pouvant demeurer éternellement loin de Paris, et plus encore loin de son cher Nohant, où elle avait déjà établi sa seigneurie des lettres, George finit par prendre congé. On se sépara donc avec de grandes effusions en se promettant de se revoir bientôt, ce qui fut fait un mois plus tard. Blandine fut à nouveau confiée à la bonne

Mme Churet, surveillée par le pasteur Demelleyer. Marie et Franz débarquèrent à Paris, où Liszt devait participer à un grand concert organisé par Berlioz.

Comme à Genève, Marie et George tinrent salon commun au *Grand Hôtel de France*, rue Laffitte, où le couple s'était installé et où défilèrent, parmi d'autres, Paganini, Chopin, Nourrit, Meyerbeer, Rossini, mais aussi l'abbé de Lamennais, le manufacturier Victor Schoelcher, les écrivains Adam Mickiewicz, Eugène Sue, Henri Heine, Victor Hugo, Charles Sainte-Beuve et Astolphe de Custine. Quant aux grands noms du faubourg Saint-Germain, ils furent horrifiés d'apprendre que la comtesse avait osé revenir en France avec son amant, s'afficher avec une femme de mauvaise vie et narguer tout le monde en s'établissant sur cette inconvenante rive droite où les artistes se permettaient tout et n'importe quoi, à commencer par venir en groupe lui rendre hommage, comme à une idole du nonconformisme !

Marie, au bras de son amant célèbre, reine éphémère de Paris ? Que dut en penser le comte d'Agoult en lisant les gazettes ? On l'ignore, mais il continua à se taire, évitant même de fréquenter son cercle pendant quelques semaines pour éviter les commentaires désobligeants des uns et la compassion hypocrite des autres. Être cocu, soit, mais pas au prix de devenir l'attraction des salons ! Plus discrètement, Marie alla visiter sa fille Claire au couvent des Oiseaux. À défaut de pouvoir s'expliquer avec elle, elle allait du moins tenter de lui faire comprendre que, malgré sa longue absence, elle continuait à l'aimer. Elle ne lui avoua cependant pas que, depuis quelques mois, elle avait à nouveau une sœur qui avait remplacé celle que Dieu lui avait reprise. L'adolescente comprit-elle les justifications de cette mère resplendissante et si impressionnante, tout étonnée de constater qu'elle commençait à lui ressembler ? Marie revivait surtout les mêmes relations ambiguës qu'elle avait toujours cultivées avec sa propre mère. Au fond, elle n'avait jamais pu s'entendre avec elle, peut-être justement parce qu'elles avaient nombre de points communs, en particulier la détermination. La vicomtesse de Flavigny n'avait-elle pas jadis choisi son mari, et ne l'avait-elle pas dominé avant de faire de même avec leur fils au détriment de Marie, qui s'était toujours sentie comme laissée pour compte ? Claire, plus tard, allait un jour quitter son mari pour mener une vie plus libre, illustrant l'adage selon lequel « bon sang ne saurait mentir ! ».

En attendant, pendant que ces dames palabraient, Franz se démenait comme un diable pour reconquérir ce Paris qui l'avait adulé mais qui, aujourd'hui, lui faisait payer l'enlèvement de la comtesse d'Agoult, tout au moins pour une partie de la société ne pouvant admettre qu'un baladin eût séduit l'une des leurs. En fait, la capitale, qui fut toujours une « tête à vent », lui préférait aujourd'hui son rival, Thalberg, un pianiste viennois de grand talent qui osait venir chasser sur ses terres. Pour les départager, un duel fut organisé, qui passionna l'opinion publique, duel au piano, faut-il préciser, pour lequel on prenait des paris et qui opposa la ville en deux camps, les pro-Liszt et les pro-Thalberg. La rencontre eut lieu mais ne put départager le vainqueur, puisque chacun avait reçu sa juste part d'applaudissements. Ce fut donc la princesse Belgiojoso qui eut le dernier mot en répondant à cette question : « Que pensez-vous de Thalberg ? »

— C'est sans doute le premier pianiste du monde !

— Et de Liszt ?

— Liszt est le seul !

Les Parisiens n'ayant pas trouvé leur compte, on réitéra l'opération, mais cette fois en réunissant sur la même scène non seulement Liszt et Thalberg, mais encore Chopin, Pixis, Czerny et Herz, chacun devant interpréter une fantaisie sur les *Puritains* de Bellini. Et cette fois, devant une salle comble, ce fut Liszt qui gagna. Il fut certes satisfait mais en son for intérieur, il comprit qu'il n'était plus unique. Il lui faudrait désormais lutter pour s'imposer quand jusque-là tout lui était venu naturellement, comme toujours chez les enfants prodiges. Ce tourbillon dura tout un hiver de fêtes, de soupers, de réunions, à la suite de quoi Marie et George partirent au printemps pour Nohant, où Franz les rejoignit après avoir réglé de nouvelles affaires.

Quand Marie vint rejoindre George Sand à Nohant, elle fut en retard de quelques jours, mais ses bonnes résolutions étaient intactes et elle ne sembla rêver que de simplicité et de vie rurale : « Je veux vivre de votre vie, me faire l'amie de vos chiens, la bienfaitrice de vos poules ; je veux me chauffer de votre bois, manger de vos perdrix et raviver ma pauvre machine amaigrie et ébranlée à l'air que vous respirez. » Dans ce Berry romantique où Marie redevint la blanche Arabella, les soirées autour du piano prirent un éclat particulier. Une caricature signée de Maurice, le fils de Mme Sand, montre l'exaltation de Liszt, ses mains volant au-dessus du clavier comme de nobles rapaces tandis que derrière lui, debout, George Sand fumait tel un sapeur, les yeux exorbités d'admiration devant le jeu du virtuose. Dans les Mémoires d'un habitué de Nohant, le fidèle Charles Duvernet, ce fut par l'écriture que la même scène nous est rendue : « Lui, les cheveux au vent, le regard fixé au plafond comme cherchant une inspiration, laissait tomber avec nonchalance ses deux mains sur le clavier qui rendait des accords dissonants et cherchait à motiver un prélude, lorsque tout à coup il se lève, ferme le piano avec fracas et déclare que l'ours ne pourra danser ce soir-là. » Mais les soirs se suivirent et ne se ressemblèrent pas, si bien que Franz se montra prodigieux. Ce n'est pas sans une absolue fierté que son amante éblouie écrit à un ami : « Liszt a été admirable ici, la veille du départ. Il a joué du piano – improvisé – comme il me parle quelquefois. L'aile flamboyante du chérubin planait au-dessus de lui. Ce fut une belle et grande soirée. »

Comme en Suisse, pendant six mois, les promenades et les conversations reprirent à un rythme soutenu et insatiable, dans la confiance, la complicité et la complémentarité. Dans cette maison, Marie raconta à son ami Pictet : « Le murmure lointain de l'Indre arrive jusqu'à nous. Le rossignol chante son splendide chant d'amour. Une brise à peine sentie nous apporte tour à tour les suaves parfums des tilleuls ou la sauvage senteur du mélèze. La lueur de nos lampes jette aux arbres des teintes fantastiques. Alors, cette femme se montre à nous sous son grand voile blanc, sans paraître toucher la terre, et nous dit avec son doux accent grondeur : "Vous voilà encore rêvant, artistes incorrigibles. Ne savez-vous donc pas que l'heure du travail est venue ?" Nous obéissons à sa parole comme à celle d'un ange de paix et de lumière. Sans y songer, George écrit un beau livre, et moi, je vais pour la cinquantième fois rouvrir mes vieilles partitions et chercher sur la trace de nos maîtres quelques-uns de nos divers secrets. »

On les vit toutes les deux ou tous les trois sur les bords de l'Indre boire une tasse de lait dans la ferme du père Bourgoing, manger un fruit chez le meunier Bignat, apprendre à reconnaître le chant des oiseaux et le nom des fleurs des champs, cueillir les cerises, bientôt les pommes, pouffer de rire à la cuisine, fouiller dans les vieilles malles du grenier, dans l'affection retrouvée et la complicité réinventée, surtout lorsque Marie toussait à perdre l'âme quand George lui faisait fumer des cigarettes de tabac turc ! Mais ils n'en travaillèrent pas moins, leurs multiples activités occupant une grande partie de leur temps, bien qu'ils fussent censés être venus là pour se reposer. Franz Liszt et sa belle maîtresse sont heureux de vivre à Nohant les noces de la nature et de la culture. Après des lectures de nuit consacrées à Dante, Shakespeare ou Hoffmann ils sont levés de bon matin pour partir en promenade à cheval guidés par George Sand. À la naissance du jour, ils jouissent de la beauté d'une excursion « sur les bords de l'Indre, le long des rives, à travers des prés couverts d'orties rouges et de pâquerettes, l'escalade de maintes clôtures rustiques avec la rencontre de quelques familles d'oies et de beaux troupeaux de vaches et de bœufs ruminant majestueusement… Le matin, note Marie d'Agoult, aucune parole n'a troublé l'esprit, salit l'imagination, blessé la sensibilité. Il y a au fond de l'âme comme au fond de la corolle, une goutte de rosée céleste que le soleil de midi va dessécher, que le vent du soir va répandre à terre… »

Dans le calme de la campagne, à peine troublé par les travaux agricoles, George écrivait dans sa chambre et Marie dans la sienne, tandis qu'au salon, Liszt faisait trembler les boiseries en transcrivant les symphonies de Beethoven au piano ou en achevant ses *Grandes Études*, tâche herculéenne qui ne lui laissait aucun répit. « Nous sommes des galériens », plaisantait George à la fin des copieux dîners qu'elle leur offrait. Comme Liszt, elle allumait sa pipe, prélude à une longue veillée de débats dont elle s'éclipsait parfois pour offrir un peu d'intimité à quelque amant de passage, à cette époque l'homme de lettres Charles Didier qu'elle venait de souffler à Hortense Allart. Et déjà, Chopin annonçait sa venue... À la longue, pourtant, Marie finit par se lasser de cette existence trépidante, peut-être futile à ses yeux, et même quelque peu vulgaire, elle qui avait tant besoin de silence et de solitude et ne pouvait se départir d'une certaine hauteur, héritée de son éducation.

Peu à peu, l'enthousiasme de l'époque suisse étant passé, elle considéra George différemment en vivant à ses côtés. Et tout finit par l'agacer chez elle, ses plaisanteries un peu lourdes, sa bonne humeur forcée, son absence de pudeur, mais surtout ses aventures sexuelles débridées qui la faisaient passer de l'un à l'autre sans état d'âme, ce qui choquait cette âme d'élite qu'était Marie, métaphysiquement fidèle à un seul homme. « Pauvre grande femme ! allait-elle écrire. La flamme sacrée que Dieu a mise en elle ne trouve plus rien à dévorer au-dehors, et consume au-dedans tout ce qui reste encore de foi, de jeunesse et d'espoir. Charité, amour, volupté, ces trois aspirations de l'âme, du cœur et des sens, trop ardentes dans cette nature fatalement privilégiée, ont rencontré le doute, la déception, la satiété et, refoulées au plus profond de son être, elles font de sa vie un martyre que la gloire couvre assez de palmes pour le dérober à la pitié de la foule, dernière injure de la destinée qui, du moins, lui sera épargnée. »

Mais la vision du romantique bonheur des autres accuse parfois le trait de son propre *spleen*. Devant Marie et Franz, les amants magnifiques, comment George ne souffrirait-elle pas, elle qui, à ce moment-là, est délaissée par Michel de Bourges, celui qui la fait attendre, celui qui la trompe ? Elle le désire, il la néglige. Elle est dans la détresse. Elle va se réveiller dans la colère contre cet amant indifférent. Ses mots sont comme une cascade de courroux : « ... Le monde trouve fort naturel et fort excusable qu'on joue avec les femmes de ce qu'il y a de plus sacré : les femmes ne comptent ni dans l'ordre social ni dans l'ordre moral. Oh ! J'en fais le serment, et voici la première lueur de courage et d'ambition de ma vie ! Je relèverai la femme de son abjection, et dans ma personne et dans mes écrits. Dieu m'aidera. » Il est des comparaisons difficiles à supporter. Entre l'amour comblé et l'amour déçu quel dangereux ravin ! Le piano était dans la chambre d'Arabella, juste en dessous de celle de George Sand. Quand la maîtresse de maison ouvre sa fenêtre aux tilleuls reverdis, la musique lui monte au cœur tel un défi : « Artiste puissant, sublime dans les grandes choses, toujours supérieur dans les petites, triste pourtant, et rongé d'une plaie secrète. Homme heureux, aimé d'une femme belle, généreuse, intelligente et chaste – que te faut-il, misérable ingrat ! Ah, si j'étais aimée, moi ! »

De ce séjour à Nohant, entre les promenades sur les bords de l'Indre et les ardentes discussions sur la peine de mort, Franz Liszt garda le meilleur des souvenirs. Il l'écrivit à Adolphe Pictet. Il parla de son piano qui était à la fois sa parole et sa vie. Il situa son existence entre les touches et les cordes, entre dix doigts et sept octaves : « Dans l'espace de ces sept octaves, il embrasse l'étendue d'un orchestre ; et les dix doigts d'un seul homme suffisent à rendre les harmonies produites par le concours de plus de cent instruments concertants. » Pour Liszt, le piano est aussi dédié à l'excellence de la pédagogie : « C'est par son intermédiaire que se répandent des œuvres que la difficulté de rassembler un orchestre laisseraient ignorées ou peu connues du grand monde. Il en est ainsi à la composition orchestrale ce qu'est au tableau la gravure ; il la multiplie, la transmet à tous, et s'il n'en rend pas le coloris, il en rend du moins les éclairs et les ombres. »

Quant à Marie, de ce séjour dans le Berry elle retint l'image forte d'une soirée à Nohant où Franz avait entouré sa tête d'une écharpe rouge qui rendait son extrême pâleur encore plus impressionnante. Et face à cette vision quelqu'un s'était écrié : « Dante ! » Liszt eût fait cette réponse : « Ce sont les Dante qui créent les Béatrice ; les vraies Béatrice meurent à dix-huit ans. » Moments de bonheur, instants de mélancolie, certitude d'être aimée ou sentiment d'être rejetée, les heures se succèdent sans se ressembler. Marie semait à foison des points d'interrogation : « L'amour est-il autre chose que le sublime mensonge de deux êtres qui voudraient se donner l'un à l'autre un bonheur auquel chacun d'eux ne croit plus lui-même ? »

La lucidité n'effaçant pas le doute, Marie finit par se demander si Franz n'avait pas cédé à George, comme les autres, profitant d'une de leurs interminables nuits blanches quand elle-même tentait de prendre quelque repos dans sa chambre isolée. George eut beau la rassurer par la suite en lui écrivant : « Étiez-vous jalouse ? Non, vous ne pouviez pas être jalouse de moi, qui n'ai jamais senti le moindre attrait pour l'homme que vous aimiez », elle ne fut pas pour autant rassurée. Ce n'était pas tant que son amie eût voulu lui « voler » son compagnon, mais seulement « l'essayer » une fois, pour s'amuser, pour se prouver aussi qu'avec son physique sans charme mais par la force de son charisme elle aussi pouvait obtenir ce qu'elle voulait. À cette question, Marie n'allait jamais avoir de réponse. Le malaise persista, d'une manière quelque peu obsessionnelle, et les relations futures entre elle et « la bonne dame de Nohant » en pâtirent, jusqu'à une prochaine réconciliation qui n'allait être que d'apparence.

En fait, George Sand ne souhaitait pas que l'on pense qu'elle eût succombé au charme fatal du pianiste séducteur. Dans une lettre à Buloz, son éditeur et son ami, c'est Musset qu'elle apostropha : « Vous n'êtes pas jaloux de moi. Vous avez fait semblant de croire une chose que vous n'avez pas crue, pour vous débarrasser de moi plus vite, et cela est mal, et si j'avais pu aimer Monsieur Liszt, de colère je l'aurais aimé. Mais je ne pouvais pas ! Je serais bien fâchée d'aimer les épinards, car si je les aimais j'en mangerais, et je ne peux les souffrir... Je me suis figuré pendant une ou deux entrevues qu'il était amoureux de moi ou prédisposé à le devenir. Peut-être que si j'avais pu, je l'aurais agréé, mais par la grande raison des épinards, je me sentais obligée de lui dire, c'est-à-dire de lui faire comprendre, qu'il fallait n'y pas penser, lorsque je me suis clairement convaincue à la troisième visite, que je m'étais sottement infatuée d'une vertu inutile et que Monsieur Liszt ne pensait qu'à Dieu et à la Sainte Vierge, qui ne me ressemble absolument pas ! » Mais peut-on croire à cette fable des épinards ? Cette confidence fut-elle un message subliminal, afin d'apaiser la jalousie de Marie d'Agoult ? Peut-on faire confiance à Mme Sand, celle, justement, qui avait auparavant écrit dans son journal intime cette phrase qui ressemble si fort à un aveu : « Mettre Liszt à la porte à présent, quelle bêtise ! »

Et, d'un autre côté, peut-on faire confiance à Liszt, qui écrivit à George : « Je rêve encore d'une affection bien profonde, bien sainte, bien douce parfois, quoique constamment active. Je crois qu'il nous sera possible et presque nécessaire d'être entièrement sincères l'un pour l'autre et que nos âmes se comprennent pour longtemps. Peut-être, tout cela vous paraîtra du juste milieu... mais certes je ne veux ni plaisanter ni déclamer. J'ai besoin de vous revoir et de vous dire prosaïquement que je vous aime. »

George ne caressait-elle Marie que pour mieux la reléguer ? Celle-ci le crut. Pour se changer les idées, elle entraîna Franz à Bourges. Ils flânèrent longtemps dans les vieilles rues de la cité avant de méditer dans une cathédrale qui ravissait leur âme. Ils prirent ensuite le chemin de Lyon, où Liszt donna une série de récitals et, en cours de route, visitèrent

Lamartine, retiré en son château de Saint-Point, qui leur fit élégamment les honneurs de sa maison avec sa jeune épouse. Le poète montra à Franz et Marie sa table de travail et jusqu'à l'encrier et à la plume dont il se servait à l'époque pour écrire *La Chute d'un ange*. Après le dîner, Liszt se mit au piano et interpréta *Harmonie d'un soir*, pièce dédiée à Lamartine.

De là, ils filèrent à Genève, cette fois via Grenoble, poussèrent jusqu'à la Grande Chartreuse, où ils méditèrent sur les grandeurs de la solitude, passèrent à Chambéry et visitèrent avec émotion les Charmettes où, jadis, Jean-Jacques Rousseau avait trouvé le bonheur chez Mme de Warrens. Ils étaient accompagnés de Louis de Ronchaud, qui avait tenu à les reconduire à Genève avant de prendre congé de Marie, le cœur serré par l'émotion.

Ce second séjour suisse dura peu de temps, puisque Genève commençait à les ennuyer et que Marie rêvait d'Italie. Leur vie s'emballait, un tourbillon permanent les emportait, les poussant continuellement à aller de l'avant, à se perdre dans l'inconnu du lendemain. Ils n'étaient ni d'ici ni d'ailleurs. Le monde seul appartenait à ces vagabonds de luxe épris d'idéal, ignorant ce qu'était une adresse fixe, un foyer stable, une vie quotidienne équilibrée. En bougeant, Marie tentait aussi d'évacuer ses angoisses qui, à jours fixes, revenaient la hanter, lui faisant noircir de bien pathétiques pages, quoique terriblement lucides, comme celle-ci : « Je suis mortellement triste ce matin. Je viens de pleurer amèrement.

Pourquoi donc mon âme déborde-t-elle de douleur ? Ô mon Dieu, mon Dieu, serait-il possible qu'il [Liszt] se soit condamné à une tâche impossible ? Mon cœur serait-il un vase sans fond dans lequel il jette en vain tous les trésors de son génie et de son amour ? Et cet amour et le mien, est-ce autre chose que le sublime mensonge de deux êtres qui voudraient se donner l'un l'autre un bonheur auquel chacun d'eux ne croit plus pour lui-même ? Aujourd'hui, je sens la dent venimeuse du serpent qui dort toujours sur mon cœur et que ses battements trop violents éveillent pour me mordre. »

Pressés de partir sous d'autres cieux, le 20 août, ils grimpèrent à nouveau dans la malle-poste et quittèrent la Suisse, d'où Franz emporta dans ses papiers nombre de pièces inspirées par ce séjour. *Fleurs mélodiques des Alpes*, *Trois Airs suisses*, *La Vallée d'Obermann*, *La Chapelle de Guillaume Tell* et *Les Cloches de Genève*, cette dernière offrant en exergue ce souvenir dédié à sa fille : « Minuit dormait, le lac était tranquille, les cieux étoilés, nous voguions loin du bord. » Avec Liszt, en effet, les reliefs de la géographie s'accordaient aux modulations de la composition musicale, comme il l'écrivit dans la préface de *L'Album d'un voyageur* : « Ayant parcouru en ces derniers temps bien des pays nouveaux, bien des sites divers, bien des lieux consacrés par l'histoire et la poésie, ayant senti que les aspects variés de la nature ne passaient pas devant mes yeux comme de vaines images, mais qu'elles remuaient dans mon âme des émotions profondes, qu'il s'établissait entre elles et moi une communication inexplicable mais réelle, une relation vague mais immédiate, j'ai essayé de rendre en musique quelques-unes de mes sensations les plus fortes, de mes plus vives perceptions. » Marie, de son côté, y avait trouvé la trame d'un roman intime, dont la gestation fut plus longue. Se dirent-ils que la vie est une aventure ? Pour renouveler leur amour, comme leur inspiration, il leur fallait aller plus loin, vers d'autres paysages, d'autres rencontres. Tels étaient les véritables romantiques, qui ne tenaient pas en place, s'ennuyaient dans les conventions, s'éteignaient dans le monde statique des bourgeois de *La Comédie humaine* de Balzac, ces monstres auxquels ils ne sauraient ressembler et qu'ils fuyaient dans leur course éperdue, leurs rêves caressés, leur nostalgie d'un monde inaccessible qu'allait un jour justifier Aragon d'une formule qui eût pu si bien leur convenir : « Mieux voler avec les aigles que picorer avec les poules. » Malgré les doutes, Marie et Franz étaient encore persuadés que l'avenir leur appartenait, et que rien ni personne ne pouvait les séparer.

IV

Les errances du bonheur

Lorsque vous écrirez l'histoire de deux amants,
placez-les sur les bords du lac de Côme.
Je ne connais pas de contrée plus manifestement
bénie du ciel ; je n'en ai point vu où les enchantements
d'une vie d'amour paraîtraient plus naturels.

Franz LISZT

Dans la beauté de l'été finissant, le lac de Côme offrait aux touristes le fabuleux déploiement des eaux et de la montagne qu'on ne pouvait se lasser de contempler. Les Anglais, surtout, fascinés par l'étrange osmose de ces éléments en apparence contradictoires mais parfaitement complémentaires, où la main de l'homme s'était plue à associer les humbles demeures de pêcheurs de la vieille ville avec la splendeur des palais aristocratiques, égrenés comme un chapelet de joyaux d'architecture, parcouraient cette suite de lacs à l'harmonie apaisante. De luxuriantes grappes de fleurs descendaient jusqu'aux berges, le mouvement des bateaux offrait un paisible et rassurant ballet qui consolait l'âme, comme un spectacle tout à la fois immobile et changeant. Du lac Majeur au lac de Côme, en passant par les îles Borromées, Pallanza, Stresa et Tremezzo, ce n'était qu'une incessante suite de surprises et de mystères, d'étonnements et de ravissements, qui rendaient cette partie des Alpes italiennes irréelle, hors du temps et du monde et, comme telle, terre promise que recherchaient les pèlerins de l'amour. « Rien d'aussi beau ne peut se voir au monde », avait écrit Stendhal quelques années plus tôt, résumant en mots simples la complexe esthétique de ce lieu d'exception.

Pourtant, en ce mois de septembre de l'année 1837, personne, ou presque, ne prêtait la moindre attention à ce couple errant au bord du lac, sauf sans doute le petit peuple italien qui, en connaisseur, avait remarqué la beauté éthérée de ces amants. Tout de noir vêtus, ils se ressemblaient comme frère et sœur, avec leur minceur, leurs grands yeux clairs et leurs cheveux blonds brillant au soleil, rappelant aux plus anciens cet autre couple, venu lui aussi quelques années plus tôt communier ici même après avoir également quitté Genève pour vivre un amour unique. Elle s'appelait Mary Godwin et lui Percy Shelley. Elle était écrivain, il était poète. Tous deux semblaient flotter au milieu des autres hommes à une hauteur inaccessible d'où avait germé, sous la plume de la jeune femme, l'incroyable personnage de Frankenstein. On avait su par la suite que le jeune homme avait fini par se noyer dans le golfe de La Spezia, près de Portofino, et que son ami lord Byron avait fait brûler son corps sur la plage, comme celui d'un héros antique. Marie pensait-elle, en ces moments de quiétude, à la fin de Shelley, et Franz avec elle se demandait-il quel Hercule abattrait un jour les chênes de leur bûcher ? C'est incontestable, mais depuis qu'elle avait posé les pieds sur le sol d'Italie, sa mélancolie semblait l'avoir fuie. Le lieu n'était-il pas prédestiné aux liaisons fatales ? Un autre enlèvement tout aussi romantique, survenu après un bal, allait encore alimenter les conversations, celui de la duchesse de Plaisance par le prince de Belgiojoso, qui la conduisit sur les rives du lac de Côme, dans sa villa Pliniana, pour y vivre l'amour fou. Justement celle où Mary et Percy Shelley avaient été tentés de s'installer. Mais la femme du poète avait jugé que les cuisines étaient beaucoup trop éloignées de la salle à manger.

La vie était revenue par la magie de ce voyage, qui les avait portés à Sesto-Calende, Varèse et, aujourd'hui… à Côme. Par la venue prochaine, aussi, d'un autre enfant qu'elle portait dans son ventre, son quatrième et le second de Liszt, comme une promesse d'avenir radieux, de bonheur durable, de pérennisation de leur histoire.

Cinq heures sonnèrent à l'horloge du Dôme. À pas lents, ils se dirigèrent vers leur hôtel, l'auberge *Dell'Angelo*. Dans son état, Marie devait se reposer, et lui se remettre au travail. Elle l'écoutait, perdue dans la profondeur de ses méditations, et avec elle les autres hôtes de l'établissement. « Le maître venait de se mettre au piano. Un accord puissant nous était venu, porté par les airs. Nous attendions que sa fantaisie prît son vol et nous entraînât avec lui sur les gazons fleuris, dans les nuées diaphanes, vers des mondes inconnus ou dans ce monde, le plus inconnu, peut-être, que nous portons au-dedans de nous. Entendez-vous, à travers d'effrayantes ténèbres, la course rapide du cheval dont l'éperon fait saigner les flancs ? Entendez-vous le vent qui mugit, les feuilles qui frémissent ? Voyez-vous le père qui tient dans ses bras l'enfant qui pâlit et se cache contre sa poitrine ? Un mystère plein de terreur plane dans les airs... »

Ces moments magiques, sur le lac de Côme, Marie les immortalisa par ces mots eux-mêmes magiques : « Le soir venu, les lignes noires des montagnes tracent autour de nous un cercle qui semble interdire à notre pensée d'aller plus loin. Qu'irions-nous chercher, en effet, au-delà de cette enceinte ? Qu'y a-t-il au monde, si ce n'est le travail, la contemplation, l'amour ? La lune trace sur l'onde un sillon lumineux qui tremble, comme la Foi des choses divines, dans nos âmes hésitantes et craintives. De tous les villages qui bordent ces rives, les cloches saintes s'appellent et se répondent... Voici les étoiles qui s'appellent dans les cieux... Un bruit de chaînes se fait entendre, mais celles-là n'ont rien de sinistre. Elles n'éveillent point l'image du cachot ni la pensée de l'esclavage. Ce sont les chaînes des bateliers qui amarrent leurs barques après le joyeux travail de la journée.

» Les festons de la vigne s'enlacent, ce soir, plus amoureusement, et laissent pendre avec plus de mollesse leurs grappes pourprées aux grilles du balcon... Oh, tout cela est d'une bien pénétrante beauté ! »

Malgré la pureté de ces instants uniques, les deux amants ne pouvaient demeurer au même endroit plus de quelques semaines. Il fallait bouger, changer de lieu, parce qu'ils n'étaient de nulle part et ne voulaient à aucun prix se fixer définitivement. On les vit à Milan, où Franz, invité par l'éditeur Giovanni Ricordi, qui avait son salon musical au bord du lac à Blevio, donna un récital qui obtint un immense succès et ce titre dans la presse : BIENHEUREUSE ITALIE QUI PEUT SALUER SUR SON SOL LE PREMIER PIANISTE DU MONDE, accompagné d'un article dithyrambique : « *È il Paganini del pianoforte, il gran suonator di cimbalo...* » C'est que la patrie de l'opéra, en effet, ne connaissait pratiquement pas le piano, puisque ni Chopin, ni Hummel, ni Moscheles, ni Kalkbrenner, ni même Thalberg n'avaient cru devoir s'y produire. Là encore, il était le premier et, pour tout dire, le seul.

À Milan, ils retrouvèrent des amis de Paris et Rossini. Ce Rossini ô combien célèbre qui avait composé *Tancrède* en trois jours à la villa Pliniana. Avec eux ils allèrent à la Scala, où ils furent présentés au comte de Neipperg, autre grand séducteur qui avait ravi un autre cœur – et quel cœur ! –, celui de l'impératrice Marie-Louise, la veuve de Napoléon, devenue princesse régnante à Parme. Liszt et Neipperg, en mâles assurés de leur force virile, se comprirent-ils sans avoir besoin de se faire des confidences ? C'est certain. Il y a un code secret des grands séducteurs qui se reconnaissent au premier regard !

Ils visitèrent encore la campagne environnante et coururent les églises pour en admirer les tableaux. Sur ses carnets, Marie nota : « Le sentiment et la réflexion me pénétraient chaque jour davantage de la religion cachée qui unit les œuvres du génie. Raphaël et Michel-Ange me faisaient mieux comprendre Mozart et Beethoven. Jean de Pise, Fra Beato, Francia m'expliquaient Allegri, Marcello, Palestrina. Titien et Rossini m'apparaissaient comme deux astres de rayons semblables. » Et ce n'était pas tout. Dans ce pays de rêve, la beauté dont elle se nourrissait quotidiennement s'alliait encore à la tolérance. Marie était heureuse en constatant qu'à Milan tout était plus simple qu'à Paris ou qu'à Genève. Chez la comtesse Samoyloff ou chez la comtesse Maffei, on la recevait sans gêne puisque leur histoire n'était pas connue dans la ville. Elle accompagnait Liszt. Elle était enceinte. On faisait mine de croire qu'elle ne pouvait être que « la Signora Liszt », ou n'importe qui d'autre, qu'importait, pourvu qu'elle fût l'inspiratrice du maître. « La liberté des mœurs me paraît bien plus grande ici qu'en France, nota la comtesse d'Agoult, libérée de ses appréhensions, les liaisons libres ne scandalisent point. On prononce sans hésitation le mot "amant". » N'était-il pas le plus beau mot du vocabulaire français, avant que l'esprit petit-bourgeois de la fin du siècle n'en fît le plus ridicule ? Ses pieds ne touchaient plus terre, son esprit se mouvait enfin dans ces sphères éthérées dont elle avait toujours rêvé. Enfin, elle se sentait elle-même.

La majesté des lacs avec les éperons alpestres qui coupent les eaux lombardes et ce mélange dans l'infini des verts suisses et des violets d'Italie les ont conduits jusqu'au lac de Côme, qui est désormais, et pour toujours, le lieu-dit de leur bonheur. Franz Liszt monte en barque et zigzague parmi les baies. Sur son calepin, il note les chants des trois jolies blanchisseuses qui œuvrent sur la rive. Le soir, c'est pour lui le plaisir de la pêche au flambeau. Armé d'un long harpon, le batelier épie le poisson tandis que la gondole larienne glisse sur l'eau endormie et que tintent de tous côtés les clochettes des filets. Entre les lauriers-roses, la senteur des magnolias, le parfum des oléofragrances et le bleu placide du lac ils échangent des serments éternels, et voilà que Franz répète à Marie : « Je ne suis sensible au Beau que lorsqu'il se manifeste à moi par vous. » Au retour d'une promenade en barque au large de Blevio, ce village où tout ce que portait le lac de créateurs semblait s'être réuni de la villa de l'éditeur musical Ricordi, qui recevait tout à la fois Bellini, Donizetti et Rossini, jusqu'à la villa Roda de la créatrice de la *Norma*, la cantatrice Giuditta Pasta, Marie, dans son journal intime, exprime les états de l'extase.

C'est en grand secret que Liszt est arrivé en septembre 1837 à Bellagio, accompagné de sa superbe *Contessa française*. Il loue une maison assez majestueuse dont le premier étage donne avec une belle terrasse sur le lac et la grille d'entrée de côté sur une rue montante, plutôt animée, au 2, salita Serbelloni. C'est sur ce lac que Liszt connaîtra les moments les plus passionnés de sa vie amoureuse et musicale. À Marie, il sera donné de vivre dans ses bras et dans ce décor unique cinq mois où culmina le bonheur sous la romantique clarté des montagnes enneigées. Le site concourt à ce grand amour, comme se plaît à le reconnaître le compositeur, se félicitant de la splendeur de ce paysage pour lui « béni du ciel » : « Au sein de cette nature, l'homme respire librement. L'harmonie de ses rapports avec elle n'est pas dérangée par des proportions gigantesques. Il peut aimer et jouir car il ne semble rien faire d'autre que jouer son rôle dans la félicité universelle. »

Ce cadre féerique, admirablement bâti en étages entre les branches de Côme et celles de Lecco, comme posé à l'extrémité même de la pointe qui dominait le lac en forme de serpent et à la croisée de ses trois bras, les enchanta. Entre les terrasses de pierre ocre, les façades roses des maisons, les arcades et les ruelles à degrés, ils comprirent que c'était bien là le but de leur pèlerinage. On les vit se promener à la villa Serbelloni, mais aussi dans les fabuleux jardins de la villa Melzi, la plus théâtrale des demeures en bord de l'eau dont Stendhal a donné cette définition subtile : « C'est trop dire, palais, ce n'est pas assez de les appeler maisons de campagne. C'est une façon de bâtir élégante, pittoresque et voluptueuse. »

Franz enlaçait Marie tendrement au pied des statues de Dante et de Béatrice, symbole de leur identité, de leur amour, et aussi de leur inspiration, symbole qu'on allait retrouver tout à la fois sous la plume de Marie et sous les doigts de Franz. C'est là qu'il composa cette spectaculaire *Fantasia quasi sonata*, intitulée *Après une lecture de Dante* qui demeure depuis le symbole de la virtuosité pianistique. Elle est le chef-d'œuvre des *Années de pèlerinage* tout comme elle est un des spécimens les plus remarquables de l'art romantique.

À cette période, le pianiste passe beaucoup de temps dans les jardins de la villa Melzi pour se recueillir, batifoler avec Marie et composer, tandis qu'elle se livre à la méditation et à l'écriture.

Après Bellagio où tombe la neige en octobre et où Franz a achevé pour l'anniversaire de ses vingt-six ans ses grandes *Études* qui avaient fasciné Marie, le couple amoureux se replie à Côme où va naître à l'Auberge *dell'Angelo* sur l'actuelle place Cavour, le 24 décembre, à deux heures de l'après-midi, la quatrième fille de Marie : Francesca Gaetana Cosima, nommée ainsi en souvenir de cet automne de la passion vécue sur les rives du lac. En voyant le bel enfant, Marie se souvient de tous ces instants offerts par le bonheur. Quand, après une halte à Baveno sur les rives du lac Majeur, ils avaient levé les yeux au ciel en rêvant d'un amour infini. Quand, à Bellagio, Liszt avait fait le jour de son anniversaire une excursion à dos d'âne à travers les châtaigniers et les oliviers. Quand, dans la villa Melzi, tous deux lisaient *La Divine Comédie* en mangeant des figues cuites au soleil. Quand, au fond du parc de cette même villa, ils se cachaient dans un pavillon entouré de cyprès qui abritait leurs lectures, leurs réflexions et leurs conversations. Quand elle se plongeait dans les pages de Dante en relisant les *Chants du Paradis*, en se comparant tout naturellement à Béatrice. C'est dans ce climat de beauté tout baigné de poésie et de musique qu'avait vu le jour la seconde fille de Franz Liszt et Marie d'Agoult. C'était Cosima, et elle était cette enfant née le jour de Noël.

À Côme, Marie et Franz s'ouvrent aux autres et se font des amis dans la bonne société de la ville. On retiendra les noms de Antonio Odescalchi, professeur de philosophie au lycée, Giuseppe Frank, consultant musical érudit du Casino Social et professeur d'université et Angelo Pellegrini, compositeur cômasque. C'est en prenant la suite prestigieuse de Paganini que Liszt, après la naissance de Cosima, donnera un concert au théâtre de Côme le soir du 29 décembre 1837. Sur le lac où ils passèrent tant de moments merveilleux, Liszt travailla beaucoup et quand son vingt-sixième anniversaire arriva le 22 octobre, il le célébra en ayant achevé ses *Grandes Études*.

Le lac de Côme semble dédié à la musique depuis ce soir légendaire où, grâce au calme des flots, eut lieu le plus beau des échanges au-dessus de l'eau entre l'une et l'autre rive. Le compositeur Vincenzo Bellini avait adressé par courrier à la cantatrice Giuditta Pasta, qui vivait dans sa villa juste en face de lui, de l'autre côté du lac, différents airs qu'il lui destinait. Et ce soir-là, de sa maison de Molstrasio, dans ce calme exceptionnel, au-dessus de la surface liquide si placide, il indiquait avec son violon le début des airs que la Pasta de son balcon au clair de lune reprenait avec sa voix superbe, tandis que ses accents charmants rebondissaient sur le lac sombre aux reflets d'argent.

Pourquoi pour la fille des amants du lac ce prénom de Cosima ? Parce qu'ils l'avaient entendu à Nohant, chez George Sand, qui l'avait retenu pour le donner à l'une de ses héroïnes, et qu'il leur avait plu. Et il évoquait aussi ce lac de Côme qui les émerveilla tant. En prenant son quatrième enfant dans ses bras, Marie caressa-t-elle un nouveau rêve sur la destinée qui l'attendait ? Elle ignorait que ce petit être fragile allait un jour partager la vie d'un autre « enchanteur », un homme extraordinaire entre tous, qui allait faire vibrer le cœur de toutes les générations à venir par l'onirisme de son œuvre musicale et poétique.

En attendant, il fallut la déclarer à l'état civil et, cette fois, Marie prit de l'assurance. L'enfant fut présenté comme la fille de Franz Liszt et de Marie de Flavigny, ce que l'ambassadeur d'Autriche à Paris crut bon d'apprendre lui-même au comte d'Agoult, une seconde fois atterré mais toujours silencieux. À quoi bon tricher désormais ? Dieu ne pouvait désapprouver ses choix en lui envoyant, un soir de Noël qui plus est, ce deuxième bébé qui – Marie le pressentait – ne serait pas le dernier. Plus que jamais elle croyait en l'avenir de sa seconde famille qui se reconstruisait petit à petit, effaçant ainsi la première, comme la seconde vague effaçait sur le sable des plages les traces laissées par la première. Bellagio, où jadis Pline le Jeune écrivit son amour de la vie, vit ainsi l'accomplissement de leur passion, prélude à une autre œuvre artistique, *La Tétralogie*, et nul doute que Marie et Franz eussent pu reprendre à leur compte cette exclamation de Flaubert quelques années plus tard, lorsqu'il allait à son tour découvrir la ville : « On voudrait vivre ici et mourir. »

À l'occasion de la naissance de Cosima, Franz et Marie songèrent à rappeler bientôt Blandine, qu'ils avaient laissée à Genève à la garde attentive du pasteur Demelleyer et de la bonne Mme Churget. Celle-ci ramena elle-même le précieux dépôt. Elle venait d'atteindre sa deuxième année et sa mère fut stupéfaite par sa ressemblance avec Franz : « Elle a sa taille, son teint, ses cheveux d'or filé, son imperturbable sérieux et ses rires immenses à propos d'on ne sait quoi. » Désormais, Marie allait elle-même s'occuper de ses deux filles, tout en se demandant si elle était véritablement une bonne mère dans la mesure où, comme Jean-Jacques Rousseau, elle se mit plutôt à réfléchir sur l'éducation qu'il convenait de donner aux enfants en général qu'à se focaliser sur celle qu'elle pouvait mettre en pratique avec les siens propres. Mais elle était ainsi, et rien ne pouvait la changer. De toute manière, c'était sur Franz qu'elle concentrait sa capacité à aimer, comme elle ne s'en cachait guère : « On fait grand bruit de l'amour maternel. Je ne suis point, je l'avoue, montée au diapason de l'admiration générale. D'une part, je ne saurais admirer comme on le fait cet amour des petits, qui n'est point un sentiment intelligent mais bien un instinct aveugle dans lequel la dernière brute est supérieure à la femme. Cet amour décroît généralement à mesure que les enfants prennent des années, et s'éteint tout à fait lorsqu'ils deviennent indépendants... Laissons croire aux femmes qu'elles sont sublimes parce qu'elles allaitent leurs enfants comme la chienne allaite les siens. Laissons-les croire qu'elles sont dévouées alors qu'elles sont égoïstes ; laissons leur dire et répéter que l'amour maternel surpasse tous les autres tandis qu'elles s'y cramponnent comme à un pis-aller et parce qu'elles sont lâches, trop vaniteuses, trop exigeantes, pour ressentir l'amour et pour comprendre l'amitié, ces deux sentiments d'exception qui ne peuvent germer que dans les fortes âmes. »

Terrible aveu ! Pensait-elle aux relations, toujours difficiles, qu'elle entretenait avec sa mère ? Celle-ci, d'ailleurs, dès lors qu'elle apprit la naissance de ses petits-enfants illégitimes, décida de ne jamais les voir et tint effectivement parole, comme si le simple fait de nier leur existence pouvait les faire disparaître par enchantement. Toujours, sa mère s'était montrée femme de tête, têtue, obstinée et autoritaire. Marie devait obéir à ses ordres, tandis que son frère faisait ce qui lui plaisait. Telle elle naquit, telle elle mourut, sans jamais savoir pardonner, sans jamais chercher à comprendre. Et pourtant, combien elle et sa mère se ressemblaient ! Toutes deux allèrent jusqu'au bout de leur impétuosité, de leur combat, de leur liberté. Mais Marie était différente. Quelle mère serait-elle avec ses filles ? se demandait-elle. Sans pouvoir se l'expliquer, elle avait l'intuition qu'elle ne serait sans doute pas meilleure. Pourquoi le sang des Bethmann faisait-il des femmes si dures ? Cela ressemblait à une malédiction antique à laquelle, un jour, Cosima n'allait pas plus échapper que Claire lorsque, à son tour, elle quitterait son mari pour suivre un autre homme !

Il est vrai encore que dans son esprit, si la comtesse d'Agoult n'existait plus – elle venait de le prouver avec la déclaration de naissance de son dernier enfant –, Marie n'acceptait pas davantage sa condition ambiguë de mère des deux filles du maître, bourgeoisement installée, avec une seule femme de chambre, dans le tourbillon de son nouveau ménage. Au fond d'elle-même, elle était surtout la compagne du génie dans la splendeur des trésors architecturaux d'Italie, dans la magnificence de l'œuvre de Franz et de celle de Dante, qui ne cessait, comme à son ami Delacroix, de lui inspirer de nouvelles harmonies parmi lesquelles sa *Fantaisie quasi-sonata*, avec ses « exercices d'exécution transcendante ». N'était-elle pas sa Béatrice ? « Je m'étonne quelquefois de le voir si constamment gai, si heureux dans la solitude où nous vivons, écrivait-elle à George Sand. Lui, artiste en un mot, c'est-à-dire homme de sympathie, d'émotions, de fantaisie, il concentre toutes ses qualités dans le cadre étroit d'un tête-à-tête. »

Cherchait-elle à donner le change ou à se persuader elle-même ? Elle savait bien que, malgré ses attentions et l'amour qu'il portait à l'enfant, Franz ne pouvait tenir en place. Pour un oui ou un non, il quittait Bellagio pour filer sur Milan, prétextant quantité d'affaires à traiter.

À Milan, Liszt retrouve des amis qui y passent l'hiver, dont les pianistes Peter Pixis, Ferdinand Hiller et Louis Mortier de Fontaine. Si le maître hongrois est déçu par la Scala, il est tout à fait prêt à se laisser séduire par l'inénarrable Rossini, qui vient de se séparer de sa femme résidant à Bologne et qui est tout entier voué à sa nouvelle passion, Olympe Pélissier. À la mi-novembre, Franz écrit à Marie pour l'informer que : « Rossini a son premier vendredi aujourd'hui. Il a fait chercher mon piano. Je dirai *L'Orgie*. Le maestro est toujours charmant et Mademoiselle Pélissier *anche*. » Liszt fait sensation dans la capitale lombarde où il fréquente assidûment le salon de la comtesse Julie Samoyloff aussi fabuleusement riche qu'extravagante. Mais, cette fois, c'est l'excentricité de Liszt qui retient l'attention de cette dernière. Le pianiste a fait l'acquisition d'un nouveau manteau à la mode, venu de Paris, et de gants jaunes fort voyants. Une autre reine des salons, Clara Maffei nous conte la scène : « Quand Liszt s'asseyait au piano... il retirait lentement, lentement, ses gants jaunes et les jetait, avec un geste impérial, l'un à droite et l'autre à gauche, afin que les dames les ramassassent. – Et elles les ramassaient ? – Quelquefois ! »

Pendant ce temps-là, Marie, tout en s'occupant de Blandine et de Cosima, améliorait son italien, lisait, écrivait et l'attendait, résignée à son rôle de seconde. Pourquoi s'inquiéter ? Il lui écrivait toujours de tendres lettres : « Aimez-moi. Aimons-nous. Cela seul est nécessaire. Et puis, espérons aussi. Dieu ne nous manquera point. Vous avez trop mérité du ciel par vos larmes et vos nobles douleurs pour désespérer à jamais. » Ou encore : « Oh ! Que je voudrais que vous puissiez ouvrir ma poitrine et prendre et garder dans vos deux belles mains mon âme et ma vie tout entières ! » Il revenait, repartait, revenait, et l'entraînait aussitôt dans de nouvelles équipées, à Brescia, Vérone, Vicence, Padoue, et enfin Venise, où ils s'établirent bientôt, dans la splendeur d'un printemps toujours renouvelé, comme les multiples gouttelettes brillant sur la lagune à l'œuvre où le soleil jetait ses derniers feux sur la belle endormie.

Au bord de la lagune, Marie dévora sans retenue toutes les galeries, découvrit Véronèse comme une révélation et s'enthousiasma pour la Fenice. Elle était heureuse d'être enfin seule avec Franz sur les gondoles, malgré le manque d'hygiène de la cité qui rebuta son obsession phobique de la propreté, sans doute consubstantiel à ses angoisses personnelles. Comme à Milan, les portes des palais s'ouvrirent naturellement pour eux, soit pour leur faire visiter les trésors entassés, soit pour permettre à Franz de donner des récitals auxquels l'aristocratie de la cité se précipitait avec enthousiasme. Plus que jamais, il ne tenait pas en place, sortait tous les soirs, se montrait, dînait, soupait, et menait quelque escapade galante avec sa vieille complice, la magnifique et attirante cantatrice Carlotta Unger.

Et Marie ? Par moments, l'onirique beauté de Venise calmait son stress. À d'autres, sa mélancolie chronique la reprenait, toujours consignée dans une langue toujours pure : « La nuit, un bouquet de fleurs oublié sur une table me rend malade, je crains quelquefois de devenir folle. Mon cerveau est fatigué, j'ai trop pleuré. Mon cœur et mon esprit sont desséchés. C'est un mal que j'ai apporté en venant au monde. La passion m'a soulevée un instant, mais je sens que je n'ai pas en moi le principe de vie. Je me sens une entrave dans sa vie, je ne suis pas bonne. Je jette la tristesse et le découragement sur ses jours. »

Franz sentait-il ce mal de vivre et voulait-il se prémunir de la contagion ? Rares sont les hommes qui prennent le temps de chercher à comprendre la femme de leur vie. Son amour pour elle sans doute restait vif, mais lui était vivant, si pleinement vivant, si pleinement actif, et surtout, surtout, infiniment trop jeune – il venait de fêter ses vingt-six ans – pour savoir s'apitoyer sur elle, l'écouter et l'aider ! Il lui fallait de l'air. Il le prit en la plantant à Venise, le 7 avril 1838, pour s'en aller donner une série de concerts à Vienne au motif qu'il avait appris que les terribles inondations du Danube avaient réduit les Hongrois, ses frères, ses compatriotes, à la misère, et qu'il se devait de les aider en mettant son talent à leur disposition. C'était vrai en partie, mais c'était faux aussi, car au summum de ses possibilités techniques, il voulait surtout se faire connaître dans sa patrie, et probablement retrouver une partie de son identité qu'il avait perdue en quittant la terre sur laquelle il était né. Pensait-il rencontrer là-bas quelques-unes de ces belles dames attirées par sa gloire, trop heureuses de l'aider dans sa carrière dans l'espoir d'une infime récompense, une heure ou une nuit en sa compagnie ? Ce n'était pas exclu. Il était assoiffé de reconnaissance, déjà drogué de gloire et de triomphes. Sa décision était prise, il en avait assez de tourner en rond dans le dédale des canaux ou d'arpenter la plage du Lido entre deux visites aux musées !

Pressentant le pire, Marie le laissa partir. Que pouvait-elle faire d'autre ? Le retenir contre son gré ? Même si elle n'ignorait pas que pour que les rossignols chantent tout le temps, il faut leur crever les yeux, ce n'était pas le cas des pianistes dont la vue porte loin, sans doute parce que la table d'harmonie de leur instrument est plate comme une plaine et les confronte en permanence avec l'idée d'horizons lointains, comme les marins. Il était un navire, elle était une ancre, mais elle ne pouvait l'arrimer à quai en permanence. Au fond, hors de la diligence, il étouffait. Elle ne pouvait décemment pas le priver d'air ! Elle l'attendit donc à l'hôtel de *Marseille* où, du reste, il ne manqua pas de lui écrire de brèves missives, puis des lettres de plus en plus longues, l'informant du prodigieux triomphe qu'il remportait là-bas, lui racontant comment il avait joué devant le couple impérial, l'informant que, en quelques semaines, il était devenu une institution nationale, ne lui épargnant aucun de ses succès d'amour-propre : « J'ai toujours une cour très nombreuse. Ma chambre ne désemplit pas. Je suis l'homme à la mode. » Ou encore : « Pardonne-moi de te parler encore de mes succès viennois, mais ici c'est une fureur, une rage dont tu ne peux pas te faire une idée. Avant-hier, il n'y avait déjà plus de places disponibles pour le concert d'aujourd'hui, et demain, sans doute, il n'en restera pas plus pour le troisième qui n'aura lieu que dimanche matin... »

Comme tous les hommes, il ne parlait que de lui, en enfant qu'il était encore, impatient de se faire valoir, de se donner de l'importance, de vouloir convaincre qu'il était le meilleur, même si ce n'était pas tout à fait faux. Bien sûr, il n'oubliait pas d'envoyer mille tendresses à son « cher archange », sa « chère et chère », de lui répéter : « Je ne pense et ne rêve qu'à vous », de déplorer qu'elle fût souffrante, alternant le vouvoiement et le tutoiement, ajoutant parfois à son texte un bout de partition dont il savait qu'elle pouvait la déchiffrer. Mais ces mots ne consolaient pas Marie de la tristesse de cette séparation, malgré les attentions d'un nouvel amoureux transi, le comte Malazzoni, qui s'était empressé de jouer les chevaliers servants dès que Liszt eut tourné le dos. Comme les femmes avec Liszt, elle attirait les hommes, mais dans son cas ce n'était pas réciproque, et à l'instar de ce qui se passait dans les tragédies de Racine, personne ne parvenait à ses fins. Malazzoni aimait Marie qui aimait Franz qui aimait... toutes les femmes. Au bout du compte, personne n'était satisfait et tout le monde demeurait malheureux !

Cela dura deux mois, puis Franz revint. Ils se retrouvèrent, comme elle allait le raconter elle-même : « Je suis sur la place Saint-Marc. On vient de m'avertir qu'il est là. Je cours, je vole ! Je me jette dans ses bras : Priez Dieu que je vous aime encore comme je vous ai aimé. » Certes, elle était heureuse, mais elle le trouva changé, plus mûr, plus sûr de lui, plus homme, en un mot plus fort et donc plus lointain. Est-ce à ce moment-là qu'il eut la maladresse de lui avouer sa première infidélité ? Comprit-elle intuitivement qu'il pourrait bientôt ne plus avoir besoin d'elle et prendrait son envol dans les nuées de sa célébrité ? C'est probable. Elle prit donc une bonne résolution, sans réaliser que celle-ci sonnait déjà comme un compromis, pour ne pas dire une compromission : « Je sens que je ne pourrais vivre contente, et par la suite le rendre heureux, qu'autant que toute espèce de crainte serait déracinée en moi, qu'autant que je le verrais décidé à veiller sur son cœur et à garder dans sa conduite extérieure une réserve qui satisferait mes idées de convenance, mon orgueil de femme, et calmerait la perpétuelle inquiétude d'un cœur trop longtemps troublé. »

Mais le pouvait-elle ? Sa terrible lucidité, qui lui permit toujours de se voir comme elle était, ce qui renforçait sa détresse, détruisait aussitôt ce qu'elle venait de construire : « Je me sens écrasée par l'ennui de vivre. Ne savoir ni les causes ni les fins de son être, repaître son cœur de chimères et de vanités, jouets d'un hasard inconnu que les plus heureux appellent Providence, désirer croire, désirer aimer, désirer connaître, voilà ce qu'est la vie de cet être mobile, menteur et lâche qu'on appelle l'homme. Ô mon Dieu, pourquoi m'avez-vous faite contraire à vous et ennuyeuse à moi-même ? Lui aussi porte un pesant fardeau, mais il le porte avec un noble et insistant courage. On le croit ambitieux. Il ne l'est pas. Car il connaît les bornes de toutes choses, et le sentiment de l'infini emporte son âme bien au-delà de toute gloire et de toute joie terrestre. Nature prédestinée ! Dieu l'a véritablement marqué d'un sceau mystérieux. C'est avec un amour plein de respect et de tristesse que je contemple sa beauté ! »

Un irrépressible masochisme apparaissait ici, renforçant la culpabilité d'une âme trop fragile à l'intérieur d'un esprit trop fort. Cette contradiction interne était tout le drame de Marie, qui savait que Franz ne pouvait pas comprendre, ou ne voulait pas voir ! Alors, faute de pouvoir mettre au clair leurs sentiments intimes, ils continuèrent de faire l'amour avec la même frénésie, ce qui sans doute rassurait Marie, toujours heureuse chaque matin de se réveiller à côté de lui, enchaînée par le lien impérieux et essentiel de la sensualité satisfaite. Elle n'en finit pas moins par prendre Venise en horreur, ce qui les incita à recommencer leur errance. On les vit ainsi à Gênes, à Plaisance, et enfin à Florence, où ils descendirent à l'*Hôtel de l'Europe*.

Là, dans cet autre haut lieu de l'art, ils visitèrent ensemble les palais, les musées et les églises, dans le sublime livre d'images qu'était cette Toscane enchanteresse où Marie crut un moment trouver enfin son port. Liszt s'y épanouit comme jamais, terminant entre autres ses *Études d'après Paganini*. Mais Marie se replongea bientôt dans sa solitude, la meublant par la lecture et l'écriture, devenues les grilles de cette prison invisible dans laquelle elle s'enfermait chaque jour davantage sans pouvoir dépasser ses contradictions, qui un jour la poussaient à proposer à Franz de reprendre sa liberté, un autre à l'étouffer de sa jalousie, lui reprochant ses infidélités et le traitant de « Don Juan parvenu ». Elle s'en voulait d'être si démunie, si vulnérable, si fragile, et elle consigna dans son journal ce cri stupéfiant : « Être mystérieux, ange de colère et de bénédiction, toi qui m'attires et me repousses, toi qui m'inondes de clarté et qui amasses les orages sur ma tête, promesses et menaces, amour et haine, joie et douleur, je veux aller où tu vas, respirer l'air que tu respires, parler ta parole, vivre ta vie, mourir ta mort. À toi ! À toi ! À toi ! »

Les vieilles habitudes reprirent. Profitant de l'occasion que lui offrait sa carrière, Franz s'en alla à Milan donner des récitals. Elle, résignée, l'attendait, parfois seule, quelquefois en compagnie choisie lorsque – le hasard faisant bien les choses – quelque messager venait à elle, capable, comme a dit Montherlant, de « respirer à la hauteur où elle respirait ». C'est ainsi qu'à Florence elle se lia d'amitié avec le sculpteur Lorenzo Bartolini, qui réalisa son buste, celui d'une Marie rayonnante sous ses boucles anglaises, le marbre mettant admirablement en valeur la courbe de ses épaules parfaites et la pureté de son cou. Image idéale de sa beauté qu'elle voulait déjà léguer à la postérité dans ce mélange de néoclassicisme un peu glacé et d'intériorité romantique mêlant l'intelligence à la beauté. Elle fréquenta aussi la pétulante Hortense Allart, naguère maîtresse de Chateaubriand et de quelques autres, mais surtout femme d'esprit, d'intuition et de culture, avec laquelle Marie allait être longtemps liée. Plus dégagée encore que George Sand, moins envahissante et plus fidèle, celle-ci venait de mettre au monde un fils qui n'avait pas de père et écrivait des romans ou des essais non dénués d'esprit, de jugement et de pénétration psychologique. Dans la compagnie de ses nouveaux amis, Marie reprit courage, fit des projets d'avenir, rêva d'acheter une maison en Italie et d'y passer le reste de ses jours. Puis, reprise par ses vieux démons, elle rechuta, vit tout en noir et provoqua des scènes de ménage sous n'importe quel prétexte et à n'importe quel moment, c'est-à-dire lorsque Franz ne s'y attendait pas.

Pour ne pas se laisser engluer dans ces disputes qui les épuisaient, ils mirent alors le cap sur Rome, où ils s'établirent, curieux de découvrir non pas le carnaval, qui n'intéressa pas Marie, mais le cadre fascinant du berceau de la civilisation occidentale pour elle, son compagnon préférant la Rome pontificale. « Il n'y a de grand, d'imposant ici que la Rome d'Auguste et de Néron, confia-t-elle, le reste est en dessous de l'attente. » Tandis que Franz, toujours obnubilé par le catholicisme, lorgnait du côté du Vatican.

Sur les pas de Stendhal, et toujours précédés par Othello, le lévrier noir de Liszt qui gambadait devant eux et fouillait les ruines, ils visitèrent la ville Éternelle, mais avec ménagement, car Marie était à nouveau enceinte. Dans cette découverte, ils eurent le meilleur des guides, le directeur de l'Académie de France, Dominique Ingres, qui, le soir, jouait de la musique avec Franz, puisque le violon était sa seconde passion. Ainsi est née cette expression merveilleuse de « violon d'Ingres ». Particulièrement inspiré, Franz composa les *Trois sonnets de Pétrarque*, dont il régala le public, attiré par lui comme par une lumière magique, tant le peuple lui-même que la haute noblesse, qui le recevait dans ses palais, dont le duc de Galiczin et le comte Wielhorsky.

Entre deux salons, entre deux visites au Vatican, entre deux récitals, il n'oubliait quand même pas l'appartement de la via della Purificazione – joli symbole ! – où il avait installé les siens, et fut donc présent, le 9 mai 1839, lorsque Marie mit au monde leur fils Daniel, son dernier enfant et son premier fils, déclaré cette fois « né de mère inconnue ». Ce qui constitua une singulière régression par rapport à ce qu'elle avait décidé pour Cosima, et sonna comme un avertissement quant à leurs relations futures. Rêva-t-elle, pour Daniel, d'un destin, comme elle le fit pour ses sœurs ? Ou n'éprouva-t-elle qu'une immense lassitude doublée d'une déception au terme de ce qui allait être sa dernière grossesse ? Il est révélateur d'apprendre que Daniel se considérerait toujours comme un « intrus » dans l'histoire de ses parents, avant de disparaître au crépuscule de son adolescence. Ce fut l'enfant de trop, celui qui allait clore leur amour, celui dont toutes les fées se penchèrent sur le berceau mais sans pouvoir lui offrir la pérennisation de leurs dons.

L'été étant trop étouffant à Rome, ils confièrent le bébé à une nourrice de Palestrina et s'installèrent à Lucques, à la villa Massimiliana, où la paix revint entre eux pour un temps. À qui les voyait, leur bonheur semblait complet quand ils dînaient sous les pins parasols avec leur société. Sainte-Beuve y vint alors faire quelque belle démonstration de son intelligence, et le peintre Henri Lehmann de son talent. Celui-ci fit leur portrait à tous deux, et tomba aussitôt amoureux de Marie. Mais lui aussi, sans aucun espoir de réciprocité. Ô combien, pourtant, Marie paraît triste sur cette toile, où l'admirable harmonie du noir de sa tenue et du rouge de son fauteuil, sans compter le raffinement de ses bijoux, ne compensait pas le visage éteint, pour ne pas dire exsangue ! L'artiste avait compris Marie, qui allait bientôt faire d'elle l'un de ses modèles préférés, l'inspiratrice essentielle de son style raffiné et éthéré. Il brosserait d'autres portraits mettant tout à la fois en valeur son admirable profil marmoréen et la profondeur de son âme, la peignant ou la dessinant tantôt coiffée de ses seuls cheveux, tantôt d'un élégant madras, avant de représenter plus tard ses enfants, mais cette fois à la demande de Liszt – un admirable crayon représentant Blandine et Cosima. Avec lui, un nouveau confident entrait dans la vie de Marie, un autre de ces amours platoniques dont elle avait besoin pour se rassurer, quitte à le faire inconsciemment autant souffrir que Liszt la faisait souffrir, comme si elle ne pouvait que répandre le malheur autour d'elle, tout en se voulant bienveillante et fidèle à ses adorateurs.

Mais Marie et Franz avaient beau s'étourdir dans le flot de leurs invités, dans le rythme de leurs soirées, dans l'image qu'ils tentaient de donner aux autres de leur foyer parfait couronné par leurs trois beaux enfants, au fond d'eux-mêmes, ils savaient bien – quoique sans se l'avouer – que le charme n'opérait plus et que le philtre était brisé. Plus rien, désormais, ne pouvait plus être comme avant. Malgré l'arrivée de leur fils, dernier fruit de leur amour, les disputes se faisaient plus nombreuses, plus dures aussi, plus blessantes, les laissant chacun meurtris et brisés. La vie à deux ne leur sembla bientôt plus possible. Sans doute s'aimaient-ils encore, mais ils ne se supportaient plus. Surtout, chacun se rendait compte qu'il ne pouvait plus apporter à l'autre ce qu'il recherchait. Elle aurait voulu l'avoir pour elle seule, et il appartenait au monde. Il la voulait mère de ses enfants, et elle n'était pas maternelle. Elle sentait qu'elle le gênait dans sa carrière et se reprochait « l'aveugle égoïsme enthousiaste qui l'avait fait s'attacher à lui ». Que faire ? Fuir encore ? C'est ce qu'ils firent dans un premier temps en passant quelques jours à San Rossore, puis à Pise, et à nouveau à Florence, où ils prirent livraison de leurs bustes. Mais à présent, où aller ? Ils songèrent à pousser jusqu'à Constantinople, puis renoncèrent en apprenant que la peste venait de s'abattre sur la Corne d'Or. En fait, ils avaient fini par se lasser d'une errance qui, au bout du compte, ne les avait conduits nulle part !

À Florence, au terme d'une conversation enfin plus calme, ils résolurent, non pas de se séparer, mais de s'accorder un peu de temps pour faire le point et mettre entre eux une distance consentie. Pour une fois, ce fut dans le calme et la réflexion qu'ils prirent, en adultes responsables, une résolution qui, pour provisoire qu'elle eût dû être, n'en allait pas moins se révéler décisive quant à leur avenir. Ce fut au crépuscule, quand les derniers feux du jour se noient dans l'Arno et que la silhouette du Ponte Vecchio commence à disparaître dans l'obscurité de la nuit, qu'ils parvinrent à cette évidence. Dans les rues silencieuses de l'ancienne capitale des Médicis, d'où émergeaient comme autant de spectres les chefs-d'œuvre de leur puissance politique et intellectuelle, ils firent ensemble leur dernière promenade au Dôme, à la maison de ville, et au *David* de Michel-Ange que Franz aimait tant parce qu'il comparait sa propre puissance créatrice à celle du jeune mâle créé par l'artiste, capable comme lui de fasciner les foules par son seul génie. Bien sûr, ils éprouvaient cette appréhension des amants qui allaient se quitter pour quelque temps et qui, pour ce faire, se trouvaient de bonnes raisons. Il devait retourner à Vienne, où sa carrière l'appelait. Elle souhaitait rentrer à Paris, y retrouver sinon sa place dans le faubourg Saint-Germain du moins dans le monde des lettres et des arts vers lequel elle était attirée, au terme de ces cinq années italiennes : « Je dois me poser, reprendre une assiette, me former un entourage de gens distingués. Pour cela, ne pas craindre la dépense, les dîners, les petits cadeaux. Aller surtout où l'on doit être, n'aller que là : conférences, sermons, premières présentations, réceptions à l'académie. » Des années qui avaient servi à tous les deux d'études supérieures, puisqu'elle avait dévoré des quantités de livres et lui composé quelque… « quatre à cinq cents pages de musique », comme il le confia alors à sa consœur la pianiste Clara Wieck, future épouse de Robert Schumann.

Mais au terme de leur promenade, ils se turent et rentrèrent à leur hôtel, où ils firent à nouveau l'amour, peut-être pour conjurer le sort et se persuader que leur passion, si ébranlée fût-elle, tenait encore debout, comme les monuments de Florence, assurément immortels.

L'esprit en paix, il l'accompagna donc à Livourne, où la tempête sévissait. Il fallut attendre la fin de ces orages, un mauvais présage qui, sans qu'ils le sachent encore, commençait à mettre un point final à leur histoire, une histoire qui s'achevait sur fond de mauvais temps comme elle avait commencé sous le soleil d'un été suisse. Enfin, le 23 octobre, le calme revint et Marie put embarquer pour la France, via Marseille, avec ses deux filles, laissant Daniel à la nourrice de Palestrina, surveillée par Lehmann, ravi de cette mission qui allait lui permettre de retrouver les traits de sa « dame » dans ceux du bébé, comme une de ces transmutations alchimiques dont ce cérébral mystique se délectait. Leurs adieux furent brefs. Franz offrit à Marie un bouquet, l'embrassa, et promit, jura même, que la séparation serait de courte durée. Le bateau prit la mer. Dans sa cabine, elle lui écrivit. Il fit de même de Venise. Leurs lettres se croisèrent, comme deux mouettes sur la mer.

Marie à Franz : « Comment quitter cette chère terre d'Italie sans vous y dire un dernier adieu ? Comment voir se détacher de ma vie ces deux années si belles et si pleines sans leur donner un regret ? Oh, mon cher Franz ! Laissez-moi vous le dire encore une fois dans toute l'effusion de mon âme. Vous y avez fait naître un sentiment profond, inaltérable qui survivra à tous les autres, en supposant que les autres pussent l'altérer, le sentiment d'une reconnaissance sans bornes. Soyez mille fois béni ! Adieu, cher et très cher, je vous écrirai de Lyon. Au moment où je m'embarquai à Livourne, le soleil se couchait dans les flots d'or et la lune se levait mélancolique dans de pâles nuages. Peu à peu, elle s'est dégagée et a éclairé toute notre traversée de la plus magnifique lumière ! J'ai accepté cela comme un symbole de notre beau passé qui fuit et de cet avenir qui commence, si triste, mais sera calme et pur ! » L'allégorie de la lune et du soleil se voulut-elle celle de leurs deux personnalités, en référence à cette vieille tradition antique que Marie connaissait fort bien, faisant de la lune l'incarnation de la femme idéale et du soleil celle de l'homme absolu ? C'est évident !

Franz à Marie : « C'est ici, Marie, que je vous dis entièrement adieu. Désormais, je ne vous retrouverai plus que dans mon cœur et dans ma pensée. Mais ici encore, toutes choses, la mer et le ciel, Saint-Marc et les gondoles, me parlent de vous et me redisent votre nom chéri. C'est ici que nous sommes venus ensemble d'abord, que nous nous sommes quittés et que nous nous sommes retrouvés. C'est ici que vous avez été mourante, et c'est ici que vous avez repris goût à la vie. Oh ! Venise, Venise ! Quel profond enchantement il y a pour moi dans ses lagunes... Maintenant je suis seul, les lieux qui me parlent d'elle ont une magie inexprimable. Les figures et les voix me rappellent une harmonie à nulle autre pareille. Venise, Venise, combien je suis heureux de te revoir. »

Probablement Liszt était-il sincère en traçant ces lignes, mais enfin, il était libre, bien que tout de même un peu culpabilisé, se disant avec cet égoïsme propre à tous les hommes que les choses finiraient un jour par s'arranger. Elle, naturellement, était triste, mais un certain sentiment de liberté germait aussi dans son esprit, sinon dans son cœur, peut-être avec moins d'évidence. Il allait lui falloir plusieurs années pour réfléchir à cette première séparation et donner à son journal cette conclusion si révélatrice de leur histoire : « Le roman de ma vie était fini à trente-deux ans. J'allais recommencer ma vie, seule. Cette vie fut difficile. Mais je gardais en moi une étincelle du feu sacré allumé par l'amour. J'eus d'affreuses rechutes. Un jour, après avoir tout reconstruit, un impérieux besoin me prit de tout détruire. À partir de ce jour commença pour moi une nouvelle vie dont je ne me rappelle pas sans frisson les épreuves, les tentations, les amertumes. Quand on vit que je n'entrais pas au cloître, quand on me crut heureuse, quand on devina mes opinions, fureurs. L'amitié me fait une atmosphère, le travail me sauve. C'est à lui que je dois tout, il m'a inspiré un grand amour. Il m'a détachée des vanités, il m'a cruellement mais salutairement détachée de lui-même. Qu'il n'ait jamais ni regrets ni remords s'il m'a fait souffrir. S'il eût été ce qu'il devait être, je serais restée. Mon nom ne serait pas sorti de l'obscurité. »

En y réfléchissant, eût-elle vraiment gagné à demeurer dans cette obscurité ? Il allait falloir presque un demi-siècle pour répondre à cette question par la négative, et ces cinq longues décennies, Marie allait les passer dans les épreuves, les conflits et les tourments, mais aussi dans les succès, les réconciliations et les joies, constituant en quelque sorte la somme d'une de ces existences riches, variées et inspirées qui font toute la différence entre une vie et un destin.

V

Ariane à Naxos

J'ai toujours vu les amants, même ceux dont l'amour
avait grandi et s'était sanctifié dans la durée,
regretter les premières heures de l'affection naissante
et ce qu'ils appellent les illusions détruites.
N'est-ce pas une puérilité que de pleurer des erreurs
sans lesquelles l'amour ne naîtrait peut-être pas,
il est vrai, mais qui ne sont pas plus nécessaires
à sa durée que les pétales de fleurs qui entourent,
protègent le pollen, mais qui se dessèchent,
tombent en poussière,
aussitôt que la fructification est accomplie ?

Marie D'AGOULT

À Paris, au numéro 10 de la rue Neuve-des-Mathurins, en ce printemps 1839, quelques invités se pressaient dans un salon de style mauresque que les expéditions militaires en Algérie, conquise depuis neuf ans à peine, avaient mis à la mode. Tables basses, divans recouverts de peaux de tigre et tapis de Perse contrastaient singulièrement avec l'architecture austère de cet immeuble des environs de l'église de la Madeleine enfin achevée, dont le style antique rappelait les grandes heures de l'épopée impériale. Mais la France de Louis-Philippe aimait ces contradictions insolites, qui mélangeaient sans scrupule le néogothique et la Renaissance, le confort des meubles bourgeois en acajou et l'exotisme pictural. Avec, ici, des souvenirs rapportés d'Italie, lustres de Venise, médaillons de bronze à l'effigie des grands écrivains, Goethe, Chateaubriand, Byron. Sur cet aménagement opéré par Félix Duban, un habitué de la maison, Charles Sainte-Beuve avait un jour composé un sonnet dont la première strophe sonnait ainsi :

Petit boudoir auguste, ô chapelle de gloire !
Qu'un goût noble et sévère a composé exprès,
Où tous les dieux mortels gravant leurs simples traits
Ressortent en airain sur la bordure noire...

Mais au-delà de la fantaisie apparente du décor, femmes de chambre, valet de pied et jeune groom – élément « à la mode » depuis quelques années – rappelaient qu'on entrait ici chez une dame de la haute noblesse aux moyens financiers infinis, à qui chacun devait respect et considération, surtout lorsqu'elle recevait dans son intimité avec ses habituelles manières du grand monde, son autorité naturelle, son port altier et sa maîtrise si particulière de la conversation soutenue par une culture infinie et une aisance d'écrivain. Certains debout contre la cheminée, d'autres assis dans les fauteuils, Sainte-

Beuve, Alphonse de Lamartine, Théophile Gautier, Eugène Delacroix, Alfred de Vigny, Eugène Sue, Honoré de Balzac, discutaient à bâtons rompus avant de s'asseoir autour de la grande table surchargée d'argenteries et de porcelaines que, souveraine, la comtesse d'Agoult présidait. Satisfaite de réunir autour d'elle l'élite de l'école romantique, élite masculine il va sans dire, elle admettait exceptionnellement quelques femmes dans ce cénacle, dont Delphine Gay, qui venait d'épouser Émile de Girardin, Hortense Allart, George Sand aussi, mais plus rarement malgré un certain nombre de démarches conciliatrices qui seraient suivies d'une brouille définitive.

On servit les entrées, et dans le tintement joyeux des fourchettes, devant les verres de cristal, la conversation débuta, spirituelle, savante, amusante parfois, mais obéissant toujours aux règles du savoir-vivre, sans jamais céder à une certaine hauteur de ton, de manière à ne jamais blesser la maîtresse de maison qui avait en horreur la vulgarité. On parla littérature, musique, philosophie, peinture et même politique. Aucun des convives n'était satisfait de la France de Louis-Philippe, qui ne semblait s'intéresser qu'au profit. C'était le temps de la révolution industrielle et des premiers chemins de fer, de la toute-puissance des banques et des sociétés par actions. Où était l'esprit ? Dans les livres, bien sûr, parfois sur la scène des théâtres, mais certainement pas aux Tuileries, dont Daumier et nombre d'autres, Marie la première, se gaussaient.

Lorsque les invités furent repartis, la comtesse d'Agoult, en se retirant dans sa chambre, se dit qu'une fois de plus, la soirée avait été une réussite. Son salon comptait désormais dans le paysage parisien. Et si elle n'était pas la seule à recevoir, les plus grands ne dédaignaient pas de solliciter une invitation. Il ne restait plus qu'à attirer dans son salon celui qu'elle considérait comme le plus grand, Victor Hugo. Ce qui fut bientôt fait, provoquant chez elle un trac terrible lorsqu'il se présenta. Cette admiration ne fut pour autant pas réciproque, puisque le poète, qui aimait tant les femmes, ne supportait pas celles dont l'intelligence voulait rivaliser avec celle des hommes, la sienne en particulier.

Depuis qu'elle avait pris possession de ce confortable logis, à l'automne 1839, Marie d'Agoult s'était mis en tête de conquérir le Paris des écrivains. Elle y était rapidement parvenue par la renommée de ses aventures, l'audience de ses premiers articles parus dans la presse et, naturellement, l'adresse de son excellent cuisinier. On ne s'ennuyait pas chez elle, les propos étaient libres. Cela se disait et, deux fois par semaine, son appartement ne désemplissait pas. Quand elle ne recevait pas, elle travaillait, s'attelant chaque matin à l'étude de la philosophie – Spinoza la captivait –, donnant d'elle-même l'image d'un être totalement détaché des contingences matérielles, dénué d'ambition, voulant désormais régler sa vie « sur la morale des sages de l'Antiquité, la vie d'un Épictête et d'un Marc-Aurèle, idéal de toute sainteté, de toute béatitude humaine ». Une telle quête impressionnait. On l'admirait et cela ne lui déplaisait pas. Et il n'était pas jusqu'à l'austère abbé de Lamennais qui, dans sa soutane râpée, ne vînt la visiter pour la presser de persister dans ces bonnes résolutions en mettant enfin sa vie en ordre, c'est-à-dire oublier son passé et renouer avec son mari, ce qu'elle feignit de ne pas entendre.

Lui seul, sans doute, avait alors compris que cette altière maîtresse de maison, malgré ses amis et ses relations, se sentait bien seule et que, nouvelle Ariane abandonnée sur son île, elle pensait à son Thésée bien-aimé, persuadée qu'il ne l'avait pas oubliée et qu'il lui reviendrait bien vite, lui à qui elle écrivait : « J'espérais aujourd'hui une lettre de vous ! Ce sera demain... » Certes, elle ne manquait pas de nouvelles de Franz, dont la gloire inondait les journaux. On y vantait ses succès, en Autriche, en Allemagne, en Hongrie, où il était devenu un héros national. Mais Marie découvrait aussi qu'on le voyait beaucoup avec la chanteuse Caroline Unger, la pianiste Marie Pleyel, ou quelques autres belles admiratrices, ce qui relançait ses angoisses, consciente qu'elle était de la faible résistance qu'il pouvait opposer en cas d'assauts répétés. Bien sûr, Marie et Franz ne cessaient de s'écrire, et elle ne ménageait pas ses sentiments : « Oh ! la passion, injuste, aveugle, impérieuse, inévitable, folle, cruelle ! C'est bien beau la passion ! L'avez-vous jamais ressentie comme moi ? Ma tête brûle rien que d'y songer. » Et lui de protester de ses sentiments : « Mon âme ne vit qu'en vous et par vous… Chère adorée Marie, tout mon être n'est que silence et prière devant vous. »

Cessant d'être pathétique, elle se voulut plus tendre après avoir appris qu'il était tombé malade à Vienne : « Renoncez pour quelques semaines au café, au tabac, au vin. Faites cela pour moi… Franz, Franz, que je vous aime ! Que je suis affligée de n'avoir pas été là pour vous soigner. » Mais, elle le sentait bien, il lui échappait.

Plongée dans l'incertitude, elle changeait en permanence de stratégie. Un jour elle lui racontait sa vie, un autre elle se faisait tendre, un troisième elle brandissait des menaces. N'était-elle qu'une marionnette dans ses mains ? Qu'importe ! Elle s'excusait presque, ou tout au moins tentait-elle de se justifier : « Je nie absolument tout propos malveillant. Quant à mes lettres, elles ont été écrites avec colère – colère causée par votre silence, les cancanages, la façon sotte dont Carlotta intervenait parmi nous, etc. Il y a pu avoir des mots durs, c'est mon défaut. Je le déplore en cette occasion et je ne mets nulle mauvaise honte à vous en demander pardon. » Mais il ne bougeait pas davantage. Alors, bien maladroitement, elle tenta de le culpabiliser : « Je m'étonne encore que, depuis six mois que je plie sous une souffrance qui a failli être mortelle, vous ne me disiez pas un mot de ma santé… Moi qui me meurs d'inquiétude en songeant au café que vous buvez et aux cigares que vous fumez, moi qui n'ai jamais pu sans un complet bouleversement de toute raison vous imaginer dans les bras d'une autre. Moi qui donnerais encore aujourd'hui ma part du paradis pour six mois avec vous sans nuages. Vous êtes trop préoccupé d'être grand, vous êtes trop philosophe, vous êtes si fort, vous, que vous ne tenez aucun compte de la faiblesse des autres. Tout est tout simple pour vous. » Et cela n'arrangeait rien, même si Marie s'efforçait de modifier sa stratégie en se montrant tour à tour maternelle ou cassante, attentive ou menaçante, amoureuse ou détachée.

Déroutée par cet être unique entre tous, se répétait-elle que, depuis plusieurs années, elle lui avait tout sacrifié, son nom, sa position sociale, la considération du faubourg Saint-Germain, l'estime de sa famille, la fille de son premier lit ? Et même leurs trois enfants, dont il lui avait fallu se séparer peu près son retour à Paris à la demande des siens, son frère, sa mère, et plus encore sa terrible belle-sœur, Mathilde de Montesquiou-Fezensac, parangon de toutes les vertus domestiques qui se considérait comme un plus grand écrivain qu'elle parce qu'elle avait publié quelques livres de piété mondaine d'une affligeante banalité. L'abandon des enfants de son second lit, les Flavigny en avaient fait le préalable à toute tentative de rapprochement et, aussi, à toute distribution de fonds, puisque c'étaient eux qui, selon les lois en vigueur à l'époque, géraient sa fortune personnelle. C'était de la manipulation, voire du chantage, et ils le savaient bien, mais elle était si fragile qu'ils obtinrent rapidement ce à quoi ils attachaient le plus grand prix. Extraordinaire hypocrisie, tout de même, chez ces chrétiens présumés, qui exigeaient qu'une femme renonce à élever ses trois enfants en bas âge sous le seul prétexte qu'ils étaient illégitimes, témoignant d'une mentalité de petits-bourgeois étriqués plutôt que d'aristocrates au-dessus des préjugés.

Les Flavigny ignoraient-ils que les bâtards pouvaient être plus beaux, plus intelligents, plus doués que les autres ? De d'Alembert au duc de Morny, les exemples abondaient ! Cela faisait beaucoup, trop sans doute pour toute autre femme, mais pas pour Marie, qui savait traverser les tempêtes et surmonter les épreuves, quitte à fragiliser chaque jour davantage son extrême sensibilité. Elle fit cette « concession transitoire », selon sa propre expression, et confia les enfants à leur grand-mère paternelle, Anna Liszt, qui s'en chargea avec beaucoup d'amour, mais peu de discernement. Car la vieille dame était assez fruste pour élever seule la progéniture d'êtres aussi cultivés que Marie et Franz. Au moins, ce geste avait permis à Marie de reprendre enfin contact avec Claire, sa fille aînée, toujours pensionnaire au couvent des Oiseaux, qui entrait dans l'adolescence et avait plus que jamais besoin de sa mère. Cette consolation fut cependant bien mince au regard de ce qu'elle venait de perdre, même si elle n'était pas fondamentalement une mère très maternelle. Le comte d'Agoult n'ayant pas, comme à son habitude, émis d'objection, elle prit en charge la formation de sa fille, appréciant chez elle sa beauté, sa grâce, sa distinction et son intérêt pour l'art.

Sa soumission, toutefois, aux volontés de sa famille ne fut qu'apparente. Tout au fond d'elle-même, Marie conserva l'espoir de reprendre un jour Blandine, Cosima et Daniel. En attendant ces retrouvailles, elle reprit le cours de son existence, augmentant chaque mois le nombre de ses invités, comme l'a raconté Louis de Ronchaud, qui, lui aussi s'était réinstallé à Paris, bien décidé à demeurer dans son ombre pour veiller sur elle, la protéger et la consoler : « Deux poètes, Alfred de Vigny et Georges Herwegh, dont l'un avait prétendu à sa main et lui gardait une respectueuse amitié, dont l'autre était venu à elle durant son exil en France, attiré par son nom et retenu par le charme souverain de ses entretiens ; un jeune peintre déjà célèbre, Henri Lehmann ; M. Louis de Vieil-Castel, le futur historien de la Restauration, aujourd'hui membre de l'Académie française, le plus constant de ses amis puisqu'il en était le plus ancien et lui demeura toujours fidèle ; M. de Bretignière de Courteille, le fondateur de la colonie pénitentiaire de Mettray, sur laquelle on lut d'elle d'intéressants articles ; M. de Girardin, qui l'avait engagée à écrire et lui avait ouvert un journal très répandu. Tels étaient les amis qui, réunis par elle dans son salon de la rue Neuve-des-Mathurins, l'aidaient à soulever le poids de ses tristesses, à oublier ses déceptions, et lui faisaient regarder l'avenir d'un esprit plus calme et plus assuré. »

Louis de Ronchaud n'était pas son seul amoureux transi. D'autres, en effet, frappés par sa beauté, sa classe et son esprit, ne manquaient pas de lui faire une cour de moins en moins discrète, en particulier Charles Sainte-Beuve et Eugène Sue, que Marie connaissait depuis longtemps mais qu'elle considérait comme des frères. Elle fut touchée aussi par les prévenances du jeune comte Bernard Potocki. La demande en mariage du général de Lagarde la surprit. Le séduisant Sir Henry Bulwer, diplomate britannique pour qui, naguère, le cœur d'Hortense Allart s'était enflammé, la troubla par sa beauté – et elle n'aimait que les beaux hommes ! Le Dr Guépin, Barchou de Penhoën firent le siège de son salon pour obtenir son portrait, ou encore le poète breton Hyacinthe du Pontavice de Heussey, qui fit d'elle sa muse, l'inspiratrice privilégiée de son œuvre, celle qui répondait à ses avances : « Je suis sur mon honneur une étrange personne. Je me rappelle vos mots, vous aussi, vous êtes folle et vos cheveux sont fous. » Et puis il y eut Émile de Girardin, qui se déclara à son tour. Celui-ci, en fait, fut le seul qui faillit avoir quelque chance, parce que sa stature intellectuelle et sa position reconnue dans le monde de la presse et des lettres la fascinaient. Sa femme, l'exquise Delphine Gay, n'en fut nullement gênée d'ailleurs, écrivant à l'époque : « Mon mari est en coquetterie avec Mme d'Agoult, mais cela ne m'inquiète pas. Avec les femmes d'esprit, cela n'est pas dangereux, ce n'est qu'avec les bêtes qu'on va très loin, faute de savoir quoi dire. » La jeune femme, par ailleurs grande amie de Marie, avait bien décelé que ce qu'elle recherchait n'était pas une liaison – Marie était, par tempérament autant que par conviction, fondamentalement fidèle ! – mais une communion intellectuelle avec des esprits à sa taille.

Joua-t-elle pour autant avec les autres, les « allumeuses », en leur laissant quelque espoir, en prêtant une oreille attentive à toutes les médisances qu'on ne manquait pas de colporter sur Liszt ? C'est possible, mais elle était si désemparée qu'elle ne savait plus trop ce qu'elle faisait. Sainte-Beuve le comprit, qui en profita pour revenir à la charge en lui adressant des vers énamourés :

Moi, dont l'humble bonheur n'eut que de courts moments
Et de qui le destin moins hautement se fonde,
Si le frais souvenir m'offre une tresse blonde,
Mon œil a retrouvé ses éblouissements.

Ainsi, quand je vous vis, au premier jour, Madame,
Une boucle brillait sur votre joue en flamme ;
Il m'en était resté comme un éclair lointain.

Mais voilà que, tardif, vous revoyant encor,
J'ai retrouvé la boucle aussi fraîche qu'Aurore,
Et le même rayon s'y jouait ce matin…

Fou d'elle, l'écrivain multiplia les audaces. « Déclaration à genoux de Sainte-Beuve », nota Marie dans son agenda. Celui-ci la quittait en dérobant les pétales d'un camélia qu'elle avait porté et qu'il allait conserver toute sa vie. La prenait-il comme les autres pour une femme facile parce qu'un jour elle avait cédé à Liszt ? Peut-être, mais cela finit par devenir inconvenant, et il fallut que Louis de Ronchaud se mît en faction devant la porte de Marie pour calmer les ardeurs du futur auteur des *Causeries du lundi*. Ce dernier ne comprenait pas plus que les autres que c'était plus fort qu'elle : elle ne pensait qu'à Franz, Franz encore, Franz toujours ! Alors germa en elle l'idée, un peu simpliste, de le rendre jaloux en lui faisant croire qu'elle le prenait au mot. Elle s'arrangea pour qu'il sût que beaucoup d'hommes hantaient régulièrement son salon, la courtisaient, et que cela ne lui déplaisait pas.

Liszt eut alors l'outrecuidance de lui faire dire à demi-mot qu'elle était libre, si cela lui disait, d'aimer à sa guise ! Elle en fut mortifiée et le lui fit savoir. Il fit volte-face, et l'ambiguïté de leur relation demeura entretenue par celle qui ne voulait que lui, mais sans se donner véritablement les moyens de le reconquérir. Lui non plus ne voulait pas rompre et souhaitait continuer d'aimer à sa guise qui il voulait quand il voulait. C'était comme un jeu. Il se disait malade, se faisait plaindre, trouvait cent prétextes pour ne pas venir à Paris, continuait à laisser entendre qu'il l'aimait, annonçait sa venue, se décommandait, lui adressait de courts billets ou de longues missives, la laissant toujours dans une perplexité savamment entretenue, fût-ce au prix des mensonges les plus éhontés : « J'ai pris mon piano en dégoût. Je ne voudrais jouer que pour vous et je ne sais pourquoi cette foule m'écoute et me paie. » Y crut-elle ? Elle répondit : « Je viens de recevoir votre lettre de Pest.

Elle m'a fait pleurer comme un veau. Comment voulez-vous que je reste insensible à de pareils triomphes ! Cela est beau, grand et poétique. Oh, que ne suis-je là ! Toujours là ! Quel pitoyable rôle je viens jouer ici ! Vous renier à moitié. »

Si les cinq premières années de leur histoire avaient constitué, malgré les hauts et les bas, une unité relativement cohérente, les cinq années qui suivirent ne furent qu'une suite ininterrompue de retrouvailles et de séparations, d'avancées et de reculs, de brouilles et de réconciliations dont ils allaient sortir meurtris, brisés et hébétés, d'autant plus traumatisés que l'échange permanent de lettres brouillait sans cesse l'authenticité de leur relation, dégradait leurs rapports et entretenait une ambiguïté perverse en instillant quotidiennement le poison mortel du doute.

Et pourtant, Liszt finit par revenir, au mois d'avril 1840. Ils s'aimèrent à nouveau, mais quelque chose avait changé dans leurs relations. Il était plus distant, moins tendre, plus préoccupé par sa fantastique carrière que par les espoirs de Marie. De toute façon, comme elle ne pouvait plus le loger, et pour ne pas entacher sa nouvelle respectabilité, pendant le mois qu'il passa à Paris, ils ne purent se voir autant qu'ils le voulaient, ou mieux, autant qu'elle l'eût voulu. Du reste, nombre de salons s'arrachaient le maître, parmi lesquels celui de la princesse Bielgiojoso, qui continuait d'en pincer pour lui, surtout depuis qu'elle s'était séparée de son mari. Avec elle, d'autres femmes présumées plus

« honnêtes » rêvaient de l'avoir ne serait-ce qu'une fois dans leur lit, tel un trophée de chasse. Comment pouvait-il résister à tant d'attraits ? Franz était certes pieux, mais ce n'était pas un saint. Il était un homme après tout, encore si jeune, si beau et si fascinant que le péché eût été non pas de succomber à la tentation, mais d'y résister !

On les vit quand même ensemble, le 29 avril, à la première de *Cosima*, la pièce de George Sand créée au Théâtre-Français. Puis il la laissa ; on l'attendait à Londres. Le 6 juin suivant, cependant, elle l'y rejoignit, mais là encore, elle ne put guère le voir, lui-même étant trop occupé par ses concerts, ses réceptions chez le prince de Galles ou chez Lady Blessington. Comme on pouvait s'y attendre, les disputes reprirent de plus belle et les reproches fusèrent, inévitablement suivis de rabibochages sur l'oreiller et de réconciliations supposées. « Hier – pour ne rappeler qu'un jour –, sur toute la route d'Ascot à Richmond, vous n'avez pas prononcé un mot qui ne fût une blessure, un outrage. Mais à quoi bon revenir sur une chose aussi triste, à quoi bon compter ainsi une à une toutes les plaies de nos cœurs ? » lui écrivit-elle. Il ne répondit pas.

Ils partirent encore ensemble à Bruxelles, en juillet, puis à Baden-Baden, où ils travaillèrent sur un article que Franz voulait publier sur la mort de Paganini. De là, ils filèrent à Mayence, puis à Rotterdam, où ils se séparèrent, mais cette fois sans crise, en se promettant de se revoir à l'automne. Il reprit alors le chemin de Londres, elle celui de

Paris, et reprirent leur correspondance. Lui : « Vivons, appuyez votre bras sur le mien, laissez-moi m'endormir sur votre cœur dont les battements sont pour moi le rythme mystérieux de l'idéale beauté, de l'éternel amour. » Elle : « Aujourd'hui, la paix est descendue dans mon cœur à votre voix. Un sentiment jamais éprouvé de certitude, d'harmonie, d'unité, me fait bénir votre amour et ma destinée. » Ou encore : « Ô oui, gardez mon amour ! Laissez cet orgueil sauvage qui s'élève entre nous comme une montagne devenir ce qu'il pourra. »

Tout pouvait-il recommencer ? Ils le crurent, ou feignirent de le croire quand ils se retrouvèrent à Fontainebleau, « la nouvelle vallée d'Obermann », selon Liszt, où ils se réunirent en octobre avec leurs enfants pour de courtes mais intenses vacances, presque en se cachant, pour que les Flavigny ne fussent pas informés de cette entorse aux serments de Marie. À l'ombre de la grande forêt, ils recomposèrent pour un temps cette famille idéale dont ils avaient tant rêvée. Une famille qui fit l'admiration des habitants, étonnés par ces cinq têtes blondes rayonnant de bonheur, de beauté et d'aisance. Hélas ! cette sérénité retrouvée ne pouvait durer plus que le temps d'un songe et, de nouveau, ils repartirent chacun de leur côté après avoir échangé de nouvelles promesses que ni l'un ni l'autre n'allait pouvoir tenir. Leur lien était infiniment plus fragile qu'ils ne le croyaient, que ne le croyait aussi Danhauser lorsqu'il peignit, à Vienne, cette même année 1840, cet extraordinaire tableau représentant Liszt assis au piano, Marie à ses pieds, totalement soumise comme une odalisque de harem, tandis que, derrière le maître, Victor Hugo, Paganini, Berlioz, Rossini, George Sand et Dumas écoutent, fascinés, le compositeur inspiré faisant face au buste de Beethoven.

Cette attitude de quasi-soumission semblait corroborer l'extrême attention que Marie, pianiste elle-même, portait au talent de son amant, dans ce mélange de virtuosité technique et d'inspiration céleste qui, justement, caractérisait le jeu si personnel et si unique de Liszt. Elle-même, à plusieurs reprises, rendit compte de cette émotion : « Quand Franz joue du piano, je suis soulagée. Toutes mes peines se poétisent, tous mes instincts s'exaltent. Il fait surtout vibrer la corde généreuse. Il attaque aussi la note de colère, presque à l'unisson de mon énergie, mais il n'attaque pas la note haineuse. Moi, la haine me dévore. La haine de quoi ? Mon Dieu, ne trouverai-je jamais personne qui vaille la peine d'être haï ? »

Six mois plus tard, au mois de juin 1841, ils se fixèrent rendez-vous à Dunkerque, où ils passèrent quelques jours ensemble, avant que Franz ne s'embarquât à nouveau pour l'Angleterre. En se promenant sur les froides plages de la Manche, caressèrent-ils des projets d'avenir ? Elle lui écrivit peu après : « C'est vous qui, après m'avoir fait vivre, puis mourir d'une lente agonie, me faites encore revivre avec plus d'énergie que jamais ! Ne défaites pas votre ouvrage, faites que je sois heureuse pour que je sois bonne, car j'ai besoin d'être bonne pour vous rendre heureux. »

Ariane n'était plus seule, puisque Thésée voulait encore d'elle ! Marie fit profil bas, puis rejoignit une fois encore Franz le 5 mai, à Boulogne, à la veille d'un nouvel embarquement, puis à Mayence, le 6 août. Là, Liszt composa *Die Zelle von Nonnenwerth* (La Cellule de Nonnenwerth), d'après un poème dédié à Marie par le jeune prince Lichnowsky, en référence aussi à ce splendide monastère transformé en auberge dans laquelle ils étaient descendus, au cœur d'une île située à deux heures de Cologne. Tout était calme dans cette merveilleuse petite île sur le Rhin. Tout était doux, et Liszt lui répétait : « Vous êtes adorable, et je suis follement, bêtement amoureux de vous. » Pourtant, une fois de plus, les choses se gâtèrent, cette fois à l'initiative de Marie, qui ne supporta plus le tourbillon de mondanités professionnelles de son compagnon. Elle décida de partir subitement, non sans laisser dans leur chambre cette lettre singulière : « Mon cher Franz, ma folie me reprenant au cerveau, je ne puis plus y tenir. Je me sens incapable de vivre dans ces agitations perpétuelles. Vous ne pouvez pas comprendre cela, ainsi donc, cessons nos tristes discussions et laissez-moi me retirer devant ces touchants dévouements quinaissent en foule sous vos pas. Je pars pour Paris. Je vous serai meilleure comme amie que comme amante. Je sais très bien que je n'ai rien à vous reprocher et que je vous ferais éternellement souffrir en restant. Aussi donc, adieu. Vous prétexterez et je prétexterai un enfant malade, le public n'en demandera pas plus. Adieu, Franz, ceci n'est pas une rupture mais un ajournement. Dans cinq ou six ans, nous rirons ensemble de mes tortures d'aujourd'hui. Adieu. »

Lucide constat de l'impossibilité de vivre à deux la trépidante existence de Liszt ? Ultime tentative de chantage pour se le réapproprier ? Réelle crise neurasthénique fortement marquée de sadomasochisme ? Il y avait de tout cela dans ce subtil appel de détresse. Et Marie était assez intelligente pour savoir qu'il ne le comprendrait pas, qu'il ne pouvait pas comprendre ! Il vit cependant la lettre à temps, rattrapa sa bien-aimée, la calma et la persuada de rester jusqu'à son anniversaire – ses trente ans ! Ils le fêtèrent donc joyeusement en compagnie de leurs amis, dont la femme de lettres allemande Theresa von Bacheracht, avec laquelle Marie sympathisa. Pour l'occasion, elle offrit un grand dîner d'huîtres et de foie gras. C'est là qu'elle rédigea dans son journal cette remarque, ou mieux, cette oraison passablement exaltée mais témoignant de la permanence de sa passion : « À toi. J'aime à me reposer sur ta poitrine parce que je sais qu'un amour immense, infini, la soulève. J'aime à contempler ton beau front parce que je sais qu'il ploie sous le poids des plus nobles ambitions et des saintes tristesses. J'aime à coller mes lèvres sur tes lèvres parce que je sais qu'elles ne s'ouvrent jamais que pour la vérité et la mansuétude. J'aime à presser ta main dans la mienne parce que je sais qu'elle est toujours tendue au faible et à l'opprimé. Je m'enivre de ton regard parce que je sais qu'il n'a convoité les faux biens ni les injustes richesses... »

Tantôt en bateau, tantôt en diligence, tantôt en train, la nouvelle invention qui allait révolutionner le « grand tour » des romantiques, ils allèrent ensuite à Düsseldorf, puis se quittèrent à Krefeld le 3 novembre, d'où elle repartit pour Paris et lui pour Berlin. Il l'aimait donc encore, crut comprendre Marie en reprenant espoir, acceptant cette nouvelle séparation comme un gage de retrouvailles. Durant ce séjour, ils ne s'étaient pas trop cherché querelle, ce qui prouvait sans doute que, sans pouvoir totalement vivre ensemble, ils en étaient capables. De surcroît, ils avaient renoué avec l'habitude de travailler ensemble, comme un professeur et son élève. Car, malgré l'évident génie de Franz, elle était infiniment plus cultivée que lui, lui ouvrant des portes et lui montrant des pistes qu'il n'aurait probablement pu découvrir seul.

Tout au long de ce séjour en Allemagne, ce fut elle qui le poussa à effectuer cette synthèse entre la culture française et la culture allemande, qui allait être particulièrement féconde sur le plan de sa création. On a dit en effet de Liszt que, grâce à Marie, il devint « culturellement français et musicalement allemand », ce qui allait donner cet aspect si particulier à l'esthétique de son œuvre musicale. Marie l'a incontestablement conduit à « germaniser » son inspiration, sachant que, contrairement à elle, il avait ce côté « éponge » de ceux qui se nourrissent des autres, comme il le reconnut un jour, devant elle : « Tu peux être certaine que je ne fais point vanité de mes ouvrages. Dussé-je de toute ma vie ne rien produire de bon et de beau, je n'en sentirai pas moins une joie réelle et profonde à goûter ce que je reconnais et ce que j'admire de beau et de grand chez d'autres. »

Mais en agissant ainsi, ne lui a-t-elle pas montré la sortie, c'est-à-dire le chemin de cette Allemagne où, effectivement, il allait bientôt commencer une nouvelle carrière ? Marie, décidément, ne pouvait ni chasser ses angoisses ni sacrifier à cet irrésistible besoin de briser ce qu'elle construisait ! Et une fois de plus, c'était à lui de recoller les morceaux de leur amour : « Quelle femme êtes-vous donc pour m'être devenue aussi nécessaire ? Je vous ai toujours aimée, vous le savez, mais longtemps avec une sorte d'ignorance et d'hébétement. Maintenant, ma souffrance est devenue ma vie même que je me sens mille fois le plus misérable des êtres créés lorsque vous me manquez. Je m'épuise en projets, mais l'heure de notre séparation m'effraie. C'est comme un glas funèbre. »

À Paris, Marie reprit donc espoir, mais les nouvelles n'étaient pas bonnes. S'il continuait de tenter de la rassurer par des envolées lyriques – « Ô nos beaux soleils couchants ! Pise, Rome, Venise ! Fontainebleau ! Le soir de notre jeunesse sera beau aussi ! » –, ses triomphes sur les scènes d'Europe faisaient qu'il lui était difficile de passer inaperçu lorsqu'il était en galante compagnie. Marie apprit qu'il voyait régulièrement la belle Bettina von Arnim, l'égérie de Goethe et de Beethoven, et la jalousie la reprit. Ne l'avait-il pas rallumée lui-même en lui adressant un jour quelques « pensées au hasard », constituées de métaphores dont l'une frisait la provocation : « Il y a peut-être sagesse à aimer les femmes, mais non pas une femme. » Elle réagit, et ses lettres résonnèrent de sa détresse jusqu'à l'aveu : « Vous allez donc sûrement revenir ! Franz ! Franz ! Franz ! Votre idéal, c'est le mien. Toujours, j'ai compris que pour vous il n'y avait de paix, de vertu, de bonheur possible que dans la solitude. Dieu nous la donnera-t-il ? Aujourd'hui, il faudrait presque un miracle, car le jour de nos adieux, à Florence, nous avons élevé à plaisir des montagnes entre nous ! Ce que vous me dites à propos des préoccupations me touche infiniment. Je souffrais beaucoup. Je suis restée femme malgré moi, et malgré tout, je vous aime non en sœur mais en femme passionnée et jalouse. Ne vous en plaignez plus. Superstitieuse, je veux changer le sort. »

Lignes pathétiques, certes, mais maladroites et dangereuses. Peu d'hommes aiment en général les femmes passionnées, et pratiquement aucun les femmes jalouses. Marie était-elle seulement jalouse des autres femmes, ou de la carrière de Franz qui empêchait la fameuse solitude tant revendiquée ? Croyait-elle qu'il allait abandonner sa gloire pour lui complaire ? Le jeu devenait dangereux. Il partit un peu plus loin et attendit plusieurs mois pour lui répondre : « Mon Dieu ! Pourquoi vous laissez-vous aller encore à je ne sais quelle amertume de cœur contre moi ? » Franz préférait jouer les innocents, niait d'un revers de plume avoir les liaisons qu'elle lui prêtait, mais n'était pas convaincant. Alors il se plaignit : « Je crains, chère et chère, que vous ne soyez plus que nerveuse. Vos lettres sont pénibles, ma vie l'est davantage. » Elle répondit du tac au tac : « Vous me dites que mes lettres sont pénibles. Je ne m'en doutais pas. »

Une fois de plus, ils se retrouvèrent dans l'impasse, sans pour autant se décider à en sortir. Leur amour tournait en rond. Ils avaient beau ne plus vivre ensemble, c'était quand même la routine, celle des petites phrases et des grands reproches, celle des non-dits et des feintes, celle des fausses excuses et des vrais mensonges. Ne comprenaient-ils pas que leur amour était déjà un souvenir ? un passé qui ne pouvait ressusciter ? En un mot, un malentendu ?

Leurs lettres se raccourcirent et le ton devint plus incisif : « Je veux bien être votre maîtresse, lui annonça Marie tout de go, mais non pas une de vos maîtresses. » Il fut surpris de la charge et, une fois de plus, démentit. Mais comment pouvait-on le croire ? Chacun savait que les femmes étaient attirées par lui comme par un aimant, le suivaient à la trace et l'auraient attendu, s'il eût fallu, jusqu'à la porte de sa chambre ! Savait-il que Marie déprimait, ou ne voulait-il pas le savoir ? Il était encore trop jeune pour mesurer l'étendue de sa souffrance. Un joli minois, une audience chez le tsar de Russie, une *standing ovation* après un concert, ou même son admission dans la franc-maçonnerie lui firent vite oublier celle à qui, naguère, il avait promis une fidélité éternelle. Tout l'intéressait et il était curieux de tout, surtout des autres, ce qui le rendait disponible à tous, sauf précisément à celle qui attendait tout de lui. Elle était la statue, il était le mouvement. Elle était le sable, il était le vent. Elle était la terre, il était la mer. Elle était la nuit, il était le jour. Elle se cachait, il se montrait partout. Elle cultivait des amitiés rigoureuses, il aimait tout le monde. Elle s'enfermait dans le secret de son cabinet, il se faisait applaudir par les foules en délire. Elle rêvait d'une maison perdue dans la verdure, son domicile à lui était le monde entier. Et si l'empereur de Chine l'avait invité à jouer, il serait aussitôt parti en Chine où, sans doute, il se serait fait de nouveaux amis. Parce qu'on l'aimait ; les femmes, les hommes, ses élèves, et même ses confrères musiciens qu'il aidait du mieux qu'il pouvait.

Comment pouvaient-ils se comprendre ? Chaque jour, leurs chemins divergeaient. Ils ne suivaient jamais la même route ! « Comment se peut-il que je vous fasse toujours souffrir ? » lui écrivit-il. Était-ce du cynisme ou de la candeur ? Lui-même ne parvenait plus à savoir comment la prendre. Ils avaient tellement brouillé les pistes qu'ils s'étaient perdus dans la forêt de leurs sentiments. Alors il noyait le poisson en lui racontant ses tournées, ou lui parlait de son énorme travail qui le rendait indisponible. Il se faisait tendre, ou tout au moins essayait-il de l'être : « Je rentre et trouve votre lettre. Elle pénètre au plus profond de mon cœur. Vous êtes triste. Vous sentez que vous m'aimez, vous me voudriez près de vous. Que de sentiments divers se combattent en moi, un orgueil immense, une inquiétude sans nom, un désir immodéré de me réunir à vous, un espoir pareil à celui qui m'a fait partir avec vous. Vous voulez que je vous écrive avec bonté, avec douceur. Qu'avez-vous donc vu dans mes lettres, si ce n'est un désir infini se consumant dans une solitude que je m'efforce de rendre digne de vous ? Et tenez, quelquefois, il me semble que l'idéal grandit en moi. Je m'affermis au-dedans et je me calme au-dehors. Et toujours, à toute heure, votre nom rayonne en moi. »

À chacune de ses lettres, Marie fondait en larmes sans pouvoir retrouver la sérénité perdue. Elle ne savait sur quel pied danser. D'un côté, ses protestations d'amour, de l'autre, les médisances. D'un côté, ce bracelet pavé de turquoises et orné d'une opale qu'il lui envoya de Berlin, de l'autre, l'annonce que de longs mois allaient encore les séparer. Elle l'attendit.

Au mois de juin 1842, il revint à Paris, où Louis-Philippe le décora de la Légion d'honneur. Il revit sa mère et ses enfants et, naturellement, Marie. Il passa avec elle un mois avant de repartir pour l'Allemagne, où son public le réclamait à cor et à cri. Là, il prit possession de son poste de *Kapellmeister* à la cour de Weimar. Pendant de longs mois, leurs relations ne furent à nouveau qu'épistolaires, avec les mêmes reproches, les mêmes plaintes et les mêmes justifications. Faisant allusion à leur ancien nid d'amour de la rue de la Sourdière, il lui parla de sa nouvelle cité : « Ce sera un point d'appui honorable pour ma vieillesse prématurée. Il y aura un *Ratzenloch* possible à Iéna. Nous en jaserons – et voilà que je me mets à pleurer en vous disant que nous en jaserons ! Non, voyez-vous, Marie, cela ne peut durer ainsi. Il faut que les obstacles se brisent. Il faut que nous soyons heureux ! »

Que voulait-il dire par là ? Que Marie pouvait s'installer à deux heures de voiture de Weimar mais pas à Weimar, comme une maîtresse secrète respectant le bon vouloir de son amant ? Franz savait que jamais elle ne pourrait accepter cette situation humiliante ! En fait, ils étaient pris au piège. D'un côté, il lui fallait une grande liberté pour mener sa carrière. De l'autre, il ne pouvait l'épouser puisqu'elle avait écarté d'emblée toute idée de divorce d'avec Charles d'Agoult qui, de toute manière, ne l'aurait jamais accepté, même lorsqu'il se désespérait en lisant dans la presse le récit des aventures de sa femme. Liszt espérait-il qu'elle renoncerait à tout pour élever elle-même leurs enfants ? Il savait qu'elle n'était guère maternelle et que, dans ce cas, elle eût dû se priver de sa fortune puisque sa mère et son frère tenaient les cordons de la bourse et ne voulaient même pas entendre parler de Blandine, Cosima et Daniel. Le problème était sans solution. Ils le savaient l'un comme l'autre, et cela les agaçait avant de les désespérer, même si

Franz tentait de gagner du temps en lui glissant : « Votre vie n'est-elle pas irrévocablement fixée ? Ne suis-je pas la seule pierre sur laquelle vous devez reposer votre belle tête fatiguée ? »

Ils se voyaient de temps en temps, quelques jours, quelques semaines, selon les caprices de ses tournées, et encore, sans trop se faire remarquer pour éviter le scandale. Dans la mesure où aucun des deux ne voulait se sacrifier à l'autre – et c'était légitime ! –, il ne leur restait, pour exprimer leur amour, ou tout au moins pour continuer à faire semblant de s'aimer, que les lettres, ces centaines de messages qu'ils s'adressaient chaque année. Un jour des mots porteurs de reproches, un autre de tendresse lyrique, tel ce courrier qu'il lui envoya d'Utrecht, dans la froidure d'un hiver rigoureux : « Le seul rayon qui me vient, le seul foyer de chaleur et de vie, c'est votre souvenir, chère Marie. Je songe à nos réveils de Côme, de Florence – vous aviez des fleurs que vous rendiez belles. C'est le mois où nos deux filles sont nées. Il me semble que j'ai oublié de vivre. Mes rêves devenaient confus et les années me creusent un abîme de misère. Il ne nous faudrait que peu de choses, pourtant, si vous le vouliez… » Pensait-il que l'amour pouvait vivre d'évocations passées ?

Neuf mois passèrent. Puis ils se retrouvèrent au mois de juillet à Aix-la-Chapelle, pour gagner de nouveau l'île de Nonnenwerth avec, comme de coutume, Louis de Ronchaud et Félix Lichnowsky, puisqu'il leur fallait toujours des témoins pour assister à leur bonheur ou pour modérer leurs querelles. Mais cette fois, point d'idylle. Les scènes reprirent, suivies d'une nouvelle séparation et de nouvelles lettres remplies de reproches mutuels et d'amertume, dont l'un des sujets était à présent Lola Montes, l'Irlando-Andalouse, dont la beauté était aussi célèbre que les excentricités, qui tournait autour de Liszt avec une tactique de chasseur de fauve éprouvé. Encore que Marie ignorât les autres, parmi lesquelles la comtesse Hanska, pour lequel battait depuis tant d'années le cœur de Balzac...

Un jour que Franz Liszt rencontre Balzac, ce dernier, sans discrétion, lui pose cette question abrupte : « Voyez-vous souvent Marie ? » « Plus que froidement », lui répond Franz qui n'est pas d'humeur à se confier. Alors voilà que Balzac avec ses yeux bruns pailletés d'or lui développe une de ses théories bizarres dont il a le secret : « Un homme, même sans être un Barbe-Bleue, a besoin de sept femmes. La femme du foyer, la femme du cœur, la femme de l'esprit, la femme du ménage, la femme des caprices et des folies, la femme qu'on déteste, la femme que l'on quête, après laquelle on court toujours et que l'on n'attrape jamais. »

Balzac, qui n'a pas d'autre désir que d'épater sans cesse sa somptueuse égérie russe Éveline Hanska, veuve depuis 1841, astreinte à résidence dans la capitale de l'Empire de toutes les Russie, a fait le geste imprudent de proposer une lettre d'introduction à l'impénitent séducteur qu'est Franz Liszt en partance pour l'empire des neiges. Dès qu'il s'est rendu compte de sa bévue, il tente de la rattraper en assaillant « L'Étrangère » de courriers voués à déconsidérer son ami auprès de la femme qu'il aime : « Liszt est un homme sublime, mais ridicule... C'est le Paganini du piano, mais Chopin lui est bien supérieur... Liszt ne sera jamais compositeur... Marie d'Agoult est un effroyable animal du désert, Liszt est très heureux d'en être quitte. Elle est devenue journaliste avec Girardin. Elle se donne comme avec la princesse Belgiojoso le genre d'abandonner ses enfants. Comparer Liszt à Chopin, vous n'y pensez pas ! Le Hongrois est un démon, le Polonais est un ange... » Mais Balzac qui sait tout des stratégies amoureuses ne vient-il pas de commettre ici une faute capitale d'appréciation ? À quelques milliers de verstes de distance l'impression que reçoit la bien-aimée de Balzac après la visite du pianiste célèbre est bien loin de sa description à lui. On peut dire même que le bel Hongrois lui a fait forte impression : « J'étais fort émue ; la renommée grandissait l'homme et l'artiste à mes yeux. » Et elle ajoute, féminine en diable, cette notation fatale qui fait qu'on ne se demande même plus si elle a cédé ou non au charme légendaire du compositeur passionné : « Ce qu'il y a de mieux en lui, c'est le suave contour de la bouche. Il y a quelque chose de particulièrement doux et je dirais même de séraphique dans cette bouche qui, lorsqu'elle sourit, fait rêver le ciel... » « Son ineffable sourire appartient à l'ange de l'harmonie, confie-t-elle à son journal intime, à l'instinct des beaux et nobles sentiments. » La belle veuve est comme saisie d'un vertige et s'avoue « attirée vers des abîmes par les lueurs séduisantes de ce feu follet ». Quand Balzac arrivera enfin en Russie sur les talons de Liszt et qu'il découvrira les mots brûlants du journal intime d'Éveline il écrira à son tour, furieux contre lui-même et contre son rival : « J'étais comme un damné piétinant la braise ! »

Marie en eut-elle vent ? Toujours est-il qu'elle se lança dans une nouvelle diatribe : « Vous vous êtes mis dans l'impossibilité absolue d'être, socialement parlant, quelque chose pour moi, lui écrivit-elle en repartant à la charge. Votre programme, sous ce rapport, n'a jamais été fait, ou, s'il l'a été, vous y avez manqué par tous les bouts. Il vous resterait donc à ne pas faire, c'est-à-dire à être sage et prudent et à avoir du goût. Or il m'est difficile aujourd'hui d'espérer cela, car l'âge est venu, et la maturité n'est pas venue avec. Et tout ce que j'ai gagné à vous parler raison avec cœur, c'est que vous vous êtes mis en fureur, puis caché de moi, et que vous avez abdiqué votre dernière vertu par rapport à moi, la sincérité. Je souhaite de toute ma force que le programme de Weimar remplisse pour vous les années qui vont venir. J'ai toujours, quoique vous sembliez douter de vous-même, une confiance absolue dans votre génie musical. Quant au reste, je me borne à une seule et dernière prière, tâchez de m'éviter les publicités grossières. »

Le temps n'était plus aux illusions. Comme Chateaubriand, Marie aurait pu s'écrier : « Levez-vous, orages désirés ! » lorsqu'elle s'aperçut, au mois de novembre, à l'occasion d'un voyage éclair à Paris, que Franz ne lui consacra... qu'une journée dans laquelle, de surcroît, il se montra ennuyé et renfrogné.

À cette époque, la carrière de Liszt occupait en effet toutes ses pensées, et sa récente tournée allemande l'avait littéralement propulsé à des sommets que jamais n'avaient atteint un Thalberg ou un Paganini. À Berlin, une véritable « Lisztomania » avait saisi l'opinion publique. Son objet était devenu arrogant, plus que jamais sûr de lui, et même quelque peu dominateur, sans compter qu'il buvait un peu trop et fumait de plus en plus, ce qui accroissait sa nervosité. Depuis toujours il voulait réussir, mais là, c'était plus que de la réussite, c'était la gloire d'un vivant, un monstre sacré. Que lui importaient les états d'âme de Marie, et pourquoi aurait-il dû sans cesse se justifier ? Il partit assez vite, sans même lui dire adieu, comme s'il avait senti que la prochaine crise allait être plus rude que les autres, à la manière de ces barrages fissurés qui en un instant peuvent être emportés par les eaux. Que ne s'était-il méfié de cet avertissement qu'elle lui avait adressé : « Je ne vous ai jamais tant ni mieux aimé. Seulement, je vois le soleil qui baisse à l'horizon de ma vie et je voudrais avoir eu mon jour ! J'espère désespérément, et le printemps, et le ciel, et le souvenir, et mon cœur impérieux me crient sans cesse : Son amour ! Son amour. »

Les nuages couvaient depuis trop longtemps, en effet, pour ne pas laisser entrevoir la tempête future. Déjà, Marie commençait à tracer le bilan de leur histoire, pour ne pas dire son oraison funèbre. Jusque-là, Franz lui avait toujours échappé, mais aujourd'hui, il n'était plus sur la même planète qu'elle. « Vous savez qu'à partir de 1833, lui écrivit-elle, chaque année nous avait rapprochés l'un de l'autre jusqu'à l'entière fusion de nos deux vies en une vie. Maintenant, je pense avec effroi que depuis 1839, chaque pas nous éloigne et nous sépare de plus en plus. »

C'était la quadrature du cercle, il fallait la résoudre. Qui allait prendre les devants ? Celui, naturellement, qui aimait le plus, et dans ce cas précis, ce fut elle. Le 9 avril 1844, toujours un peu trop exaltée, mais la mort dans l'âme aussi, elle prit sa plus belle plume pour lui annoncer sa décision irrévocable : « Si je n'avais pas la conviction, mon cher Franz, que je suis et ne puis être dans votre vie qu'une douleur et un déchirement, croyez bien que je ne prendrais pas le parti que je prends dans la plus profonde douleur de mon âme. Vous avez beaucoup de force, de jeunesse et de génie, beaucoup de choses repousseront encore pour vous sur la tombe où va dormir notre amour et notre amitié. Si vous avez le désir de m'épargner un peu, en cette dernière crise, qu'avec un peu de claire-vue et d'orgueil je n'aurais pas tant différée, vous ne répondrez point avec colère et irritation aux quelques demandes que j'ai à vous faire. Ce sera par l'intermédiaire d'un tiers. Choisissez qui vous voudrez, M. de Lamennais si vous l'agréez, qui vous aime et qui ne m'a jamais considérée que comme un malheur dans votre vie. »

En recevant cet ultimatum, Franz fut atterré. En comprit-il tout le sens profond et en fut-il blessé ? Il ne pouvait ignorer que s'il se fût précipité à Paris pour la prendre dans ses bras, tout eût pu s'arranger. L'espéra-t-elle ? Le voulut-il ? Là résidait sans doute le mystère de leur relation, qui les poussait progressivement de l'amour à la haine et de la haine à l'amour, qu'ils ne pouvaient plus contrôler et dans laquelle ils sentaient, l'un comme l'autre, qu'ils étaient en train de se détruire. Il se contenta de lui répondre : « Je suis fort triste et profondément affligé. Je compte une à une toutes les douleurs que j'ai mises dans votre cœur. Et rien ni personne ne pourra jamais me sauver de moi-même. Je ne veux plus vous parler, ni vous voir, moins encore vous écrire. Ne m'avez-vous pas dit que j'étais comédien ? Oui, à la façon de ceux qui joueraient l'athlète mourant après avoir bu la ciguë. Le silence doit sceller toutes les tortures de mon cœur. Un dernier mot. Jamais de tiers. Et quand il le faudra, je serai là. »

Il revint, pourtant, au mois d'avril suivant. Ils se retrouvèrent et eurent une explication assez difficile. Puis, Marie lui adressa une nouvelle lettre dans laquelle elle écrivit plus explicitement : « Si je n'avais pas la conviction, mon cher Franz, que je ne suis et ne puis être dans votre vie qu'une douleur et un déchirement importun, croyez bien que je ne prendrais pas le parti que je prends, dans la plus profonde des douleurs. Vous avez beaucoup de force, de jeunesse et de génie, beaucoup de choses repousseront encore pour vous sur la tombe où va dormir notre amour et notre amitié. » Elle lui proposa à nouveau de choisir un intermédiaire pour régler les détails de leur rupture, lui suggérant l'abbé de Lamennais, Alexandre de Flavigny ou Louis de Ronchaud. Il choisit leur ami commun, le diplomate Alexandre de Villers, qui accepta de jouer les intermédiaires et de discuter de l'avenir de leurs enfants, tout en tombant éperdument amoureux de Marie, sans oser le lui dire, comme les autres.

N'auraient-ils pas mieux fait de s'en tenir là ? Sans doute. Mais le 13 mai, ils convinrent de se revoir une dernière fois. Ne pouvant se contenir, ils s'envoyèrent mutuellement les accusations les plus atroces. Hagard, Franz rentra chez lui, tomba malade et s'alita. Alertée, et croyant qu'il s'était empoisonné à cause d'elle, Marie se précipita à son chevet, pour constater que ce n'était qu'une simple crise nerveuse. Il allait mieux, sans doute, puisqu'ils se querellèrent à nouveau, cette fois avec violence, à la limite de l'injure et peut-être des coups. Elle rentra chez elle, et ce fut elle qui tomba malade ! Rétablis l'un comme l'autre, ils partirent chacun de leur côté, lui pour Weimar, elle pour le château du Mortier en Touraine, où elle composa cette épitaphe de son amour perdu :

Non, tu n'entendras pas, de sa lèvre trop fière,
Dans l'adieu déchirant, un reproche, un regret.
Nul trouble, nul remords pour ton âme légère
En cet adieu muet.

Tu croiras qu'elle aussi, d'un vain bruit enivrée,
Et des larmes d'hier oublieuse demain,
Elle a d'un ris moqueur rompu la foi jurée
Et passé son chemin.

Et tu ne sauras pas qu'implacable et fidèle
Pour un sombre voyage, elle part sans retour ;
Et qu'en fuyant l'amant dans la nuit éternelle
Elle emporte l'amour.

Quelle émotion de retrouver après tant d'années le chemin de l'enfance heureuse ! Trop de voyages et trop d'épreuves l'avaient séparée de cette longue allée d'arbres bicentenaires conduisant au domaine familial. Et revoir « la maison, la colline où elle s'adosse, sa vallée étroite, son enclos, ses terrasses au soleil, son canal d'eaux vives, sa cascade ombragée de marronniers séculaires, son potager, son verger, ses basses-cours » fut pour elle « tout un monde que ne franchissaient jamais [ses] souhaits ni [ses] rêves ». Mais là, dans la paix des souvenirs protecteurs revenus, elle avait beau écrire à Marie Czettritz que « les hommes ne sont plus pour moi que des livres, et en perdant Liszt, c'est bien moins l'amour que j'ai pleuré que l'idéal rêvé dans sa vie », elle souffrit atrocement dans son âme et dans sa chair d'un tel gâchis dont l'un comme l'autre, au fond, étaient responsables, ce qu'elle ne voulait ni voir ni comprendre, et lui pas davantage.

Crut-elle, au Mortier, qu'on allait la féliciter de sa résolution ? Ce fut le contraire, car après le fracas de sa liaison, la famille redoutait à présent le tapage de la rupture, dont tout Paris parlait de la manière la plus désobligeante. Décidément, personne ne la comprenait, personne ne voulait d'elle, et surtout pas sa belle-sœur Mathilde, qui se considérait comme étant la véritable maîtresse de maison, peu désireuse de partager avec elle la souveraineté du Mortier, malgré les tentatives d'apaisement initiées par Maurice de Flavigny, qui échoua à éteindre cette querelle intestine.

Dépitée, Marie ne put davantage compter sur sa vieille amie George Sand. Certes, elle entretenait avec elle des relations de plus en plus conflictuelles, mais en la circonstance, elle trouva le moyen de se brouiller définitivement avec George. Pourtant, celle-ci consentit à lui dédier son *Simon*, d'une manière prudente :

Mystérieuse amie, soyez la patronne de ce pauvre petit conte,
Patricienne excusez les antipathies du conteur rustique.
Madame, ne dites à personne que vous êtes ma sœur.
Cœur trois fois noble, descendez jusqu'à lui et rendez-le fier.
Comtesse, soyez pardonnée.
Étoile cachée, reconnaissez ces litanies.

Le séjour que fit Balzac à Nohant, en 1837, fut le prétexte de leur rupture définitive. Venu en voisin, Balzac prit ses quartiers chez George Sand. Entre deux copieux soupers s'engagèrent ces conversations où crépitèrent les indiscrétions, les deux complices parlèrent de tout et de rien. George raconta un soir toute son histoire avec Marie, et celle de Marie avec Liszt. Passionné, le romancier, qui cherchait toujours quelque sujet d'ouvrage, écouta George attentivement, posa des questions, prit des notes et rapporta le tout à Mme Hanska « C'est à propos de Liszt et de Mme d'Agoult qu'elle m'a donné le sujet des *Galériens* ou des *Amours forcées* que je vais faire... Gardez bien ce secret. » Mais Balzac allait abandonner ce titre initial des *Galériens de l'amour* pour celui de *Béatrix* qui, l'année suivante, parut en feuilleton dans *Le Siècle*, déballant au grand jour les amours complexes et tumultueuses de Béatrix de Rochefide [Marie], « mince et droite comme un cierge et blanche comme une hostie », avec sa « figure longue et pointue, un teint assez journalier », à laquelle « la nature a donné cet air de princesse qui ne s'acquiert point... ange qui flambe et se dessèche », avec le musicien Gennaro Conti [Franz], « d'une vanité qui lui fait jouer les sentiments les plus éloignés de son cœur ».

Roman-caricature, qui ne fut pas le meilleur de *La Comédie humaine*, *Béatrix* horrifia Marie qui, curieusement, n'en voulut jamais à Balzac, qu'elle continua à recevoir chez elle tout en feignant de ne pas s'y être reconnue. Mais c'est George Sand qu'elle tint pour seule coupable, sans doute parce que, dans ce texte, elle y avait le beau rôle, celui de la spirituelle, attentive et admirable Camille Maupin trahie par une Béatrix abandonnée qui lui volait son jeune amant [dans la réalité, l'auteur dramatique Félicien Malleville, ami de Marie, mais non son amant]. « George est au comble de la joie. Elle prend là une petite revanche sur Marie. Sauf quelques petites variantes, l'histoire est vraie », confia alors Balzac à Mme Hanska. Puis, plus prosaïquement, à Bernard Potocki : « Eh bien, j'ai brouillé les deux femelles ! » Et il ajoute cette précision ciselée : « La vengeance de Sand : Double vengeance, de femme dédaignée et de rivale vaincue. »

La comtesse d'Agoult et la baronne Dudevant se rencontrèrent encore dans le monde, mais sans plaisir et bientôt avec indifférence, avant de propager l'une contre l'autre les mots les plus blessants. George : « Mme Allart emporte ses enfants, les nourrit, les élève et leur donne son nom, son temps et sa vie, tandis que l'autre [Marie] les abandonne, les oublie, les fait élever dans un taudis tout en vivant dans le velours et l'hermine, ni plus ni moins qu'une femme entretenue, et ne s'occupe de sa progéniture, non plus que d'une portée de chats. » Marie : « Cette intelligence si élevée, ce cœur qui pourrait être si noble, se galvaudent, s'abaissent ainsi à la plus misérable des intrigues. Cela fait mal. » *Béatrix* n'a pas suffi ? George publie à son tour un autre ouvrage, *Horace*, dans lequel Marie apparaît, assez nettement cette fois-ci, sous les traits de la vicomtesse de Chailly, « beauté artificielle à la maigreur effrayante, aux dents problématiques... [qui] n'avait jamais eu d'esprit mais voulait absolument en avoir et faisait croire qu'elle en avait, disant le dernier des lieux communs avec une distinction parfaite et le plus absurde des paradoxes avec un calme stupéfiant ! »

Cette fois, ce n'était plus drôle du tout, d'autant que Franz crut bon de remuer le couteau dans la plaie en lui écrivant aussitôt : « Il n'est pas douteux que ce soit votre portrait que Madame Sand a prétendu faire en peignant l'esprit artificiel, la beauté artificielle et la noblesse artificielle de Mme de Chailly. C'est à mon sens la meilleure chose qu'elle a faite depuis longtemps. » Tout était consommé. En comprenant que Liszt et George tombaient d'accord sur son dos, Marie, une fois de plus, comme lorsqu'elle avait quitté son mari, se dit qu'elle avait à nouveau brûlé ses vaisseaux et que tout retour en arrière lui était désormais impossible. Ce que Franz résuma lumineusement dans cette lettre qu'elle reçut quelques mois plus tard : « À quoi sommes-nous condamnés ? Le savons-nous ? Nous étions de nobles natures l'un et l'autre, et vous m'avez maudit. Je me suis banni de votre cœur parce que vous avez méconnu le mien. Est-ce une épreuve ou une fatalité que nous subissons ? L'avenir nous l'apprendra. »

Au terme de dix années, cinq vécues dans le bonheur et cinq autres dans les incertitudes du cœur et de l'esprit, tout était fini entre eux. Ce fut ce que le monde crut ; le combat, pourtant, ne faisait que commencer. Un combat exclusif, injuste et tumultueux, dans lequel n'allaient manquer ni les grandeurs ni les coups bas, ni les drames ni les excès, à la mesure d'une haine inversement proportionnelle à leur amour puisque ni elle ni lui ne savaient faire les choses simplement. D'amants, ils devinrent guerriers. Ce fut, incontestablement, le pire moment de leur vie.

VI

Nélida ou la haine

*Est-ce une partie d'échecs que vous continuez
à jouer avec moi ? Ou bien prétendez-vous
sérieusement m'imposer à tout jamais
une résignation imbécile
à vos emportements ?*

Franz LISZT

En cet automne 1846, à Paris, dans un immeuble très cossu situé au numéro 16 de la rue Plumet [actuelle rue Oudinot], l'appartement ressemblait à un véritable capharnaüm. Meubles empilés, caisses à peine déballées, les femmes de chambre soupiraient devant l'immense tâche à accomplir. Il fallait tout remettre en place dans les meilleurs délais, sans compter la gêne provoquée par les va-et-vient permanents des déménageurs chargés de tableaux, de tapis, et surtout de tous ces livres qu'il allait falloir replacer un par un... Et le temps manquait, car Madame, en villégiature à Herblay, où elle avait loué une maison pour y passer l'été, n'allait pas tarder à rentrer à Paris. Et rien ne lui répugnait tant que de trouver son logis en désordre. Quelle idée aussi d'avoir quitté la rue Neuve-des-Mathurins, où on était si bien, pour retourner dans ce triste faubourg Saint-Germain, si éloigné de tout. Mais voilà, elle était comme ça ! Elle ne tenait jamais en place et voulait toujours du changement, éternelle errante dans cette ville qu'elle arpentait d'un bout à l'autre, comme pour fuir une présence invisible qui la hantait depuis toujours.

— Et le piano ? Il va où ?
— Installez-le dans le salon, près de la fenêtre, et gare à ne pas l'abîmer !
— Ne vous inquiétez pas, la belle, on connaît notre ouvrage…

La poussière des malles volait dans les derniers rayons du soleil couchant. Les hommes de peine regardaient les deux femmes à genoux plongées dans les dentelles de leur patronne, imaginant des choses simples et naturelles, comme toujours en pareil cas.
— Tout ça c'est bien joli, les belles, mais faudra pas oublier de nous donner quelque chose à boire. Voilà des heures qu'on a le gosier sec…
— C'est bon, on s'en occupe, mais continuez à travailler !

Quelques jours plus tard, la comtesse d'Agoult prit possession de sa nouvelle demeure, avec la satisfaction non pas de retrouver le faubourg Saint-Germain de sa jeunesse, mais celle de le défier. Elle l'avait naguère fui pour la vie de bohème, elle y revenait pour installer *sa* bohème, cette fois sans aucune culpabilité devant un monde qu'elle méprisait mais auquel elle appartenait, ce qui, à l'avenir, allait lui éviter de se justifier. En agissant ainsi, elle affirmait sa liberté retrouvée, son indifférence à la rumeur, son panache face à la petitesse et la mesquinerie de ceux qui croyaient exister en lui reprochant de les avoir trahis. C'était une évolution capitale, et chacun le comprit. À commencer par son frère Alexandre, qui rompit tout lien, ou presque, avec sa sœur, dès lors que la mort de leur mère, survenue quelques mois plus tard, allait solder les dernières préventions que Marie eût pu éprouver envers les siens.

La disparition de la vicomtesse de Flavigny, en effet, rendit Marie plus libre de sa conduite, puisqu'elle n'avait désormais plus à lui en rendre compte. Elle lui permit surtout de toucher enfin le capital de son héritage, certes écorné par ses dépenses, mais encore suffisamment considérable pour lui permettre de vivre à sa guise pendant de longues années, en principe jusqu'à la fin de ses jours. Malgré l'importance de la somme, 936 362 francs – plus de deux millions d'euros d'aujourd'hui –, elle fut loin d'être satisfaite, puisque ce fut son frère qui hérita du Mortier, « avec ses fermes, bois, vignes, prés, meubles, argenteries, porcelaines, cristaux ». Jusqu'au linge de maison et aux vêtements à propos desquels elle se plaignit amèrement de la mesquinerie de sa belle-sœur, qui ne lui laissa que « des hardes », excepté un seul beau cachemire ! De ce jour, les deux femmes ne se virent plus, et la Touraine ne fut plus, pour Marie, que l'écrin perdu d'un rêve d'enfant dérobé, un nouveau renoncement après bien d'autres.

Quant à Liszt, il se vit désormais traité de haut par une grande dame ayant retrouvé la prérogative de ses droits face au « Don Juan parvenu », continuant d'être bombardé de lettres de toutes sortes. Car, malgré la rupture, ils ne cessaient de s'écrire, s'avérant aussi incapables l'un que l'autre de mettre un point final à leur histoire, la nourrissant désormais par procuration, comme un besoin permanent d'expression, de justification, voire d'agression. Tout aurait pu s'arrêter d'un coup, mais tout continua parce que au plus profond d'eux-mêmes, ils ne comprirent pas que tout était terminé. Certes, le ton avait changé et leurs lettres, dans lesquelles ils s'envoyaient à présent du « Monsieur » et du « Madame », ne laissaient aucun doute sur l'état de leur colère et de leur désarroi. Ils ne cessèrent pas pour autant de tisser et détisser à l'infini ce fil invisible ayant uni une Pénélope et un Ulysse qui ne s'aimaient plus, inversant les rôles d'une vieille histoire où, cette fois, le héros avait quitté Ithaque au lieu d'y revenir.

Tout était prétexte à conflit, à commencer par leurs trois enfants, toujours confiés à la garde d'Anna Liszt. Marie ne la voyait que de temps à autre, bien qu'elle conservât toujours un réel respect et une certaine affection pour la mère de Franz, à qui elle pensait à rapporter quelque chose à chacun de ses voyages. D'abord, elle n'entendait pas consacrer un sou à l'éducation des enfants, estimant que c'était à leur père qu'il revenait de pourvoir à leurs besoins. Mais c'était accepter de fait qu'il prît les dispositions nécessaires et considérât que leur mère n'avait aucun droit sur eux. De surcroît, non seulement elle ne les avait pas reconnus formellement comme étant d'elle, mais elle était française et ses enfants ne l'étaient pas, puisque nés respectivement à Genève, à Bellagio et à Rome. Ils portaient, en revanche, le nom de Liszt, qui était leur père à titre officiel, donc leur tuteur légal, et par-là même relevaient de la nationalité hongroise. Cela faisait d'eux des sujets de l'empereur d'Autriche et non du roi des Français, justiciables donc du droit de cet État. Il le lui fit savoir et elle répondit avec hauteur : « Il y a un an, Monsieur, vous me disiez : “Prenez garde, vous ne savez pas ce dont je suis capable.” Je le sais aujourd'hui. Vous êtes capable de fouler au[x] pied[s] un engagement d'honneur, de proposer à une femme à laquelle vous devez tous les respects des conditions humiliantes quand elle veut exercer des droits sacrés reconnus par vous-même. Vous êtes capable, enfin, de la dernière des lâchetés, celle de menacer de loin et en vertu de la légalité une mère qui réclame le fruit de ses entrailles ! Désormais, Monsieur, vos filles n'ont plus de mère, vous l'avez voulu ainsi. Leur sort est entre vos mains, l'héroïsme d'aucun dévouement ne sera jamais assez fort pour lutter contre votre démence et votre féroce égoïsme... Un jour, vos filles vous diront peut-être : “Où est notre mère ?” Vous répondrez : “Il ne m'a pas plu que vous en eussiez une.” »

Comment se faire une meilleure idée du charme mélodieux des filles de Liszt qu'en lisant ce rapport rédigé par Hans von Bülow à Berlin où on les a amenées pour faire leur éducation musicale ? « Vous me demandez, très cher maître, de vous donner des nouvelles des demoiselles Liszt. Jusqu'à présent, cela m'aurait été impossible vu l'état de stupéfaction, d'admiration, et même d'exaltation où elles m'avaient réduit, surtout la cadette. Quant à leurs dispositions musicales, ce n'est pas du talent, c'est du génie qu'elles ont... Hier soir, Mlle Blandine a joué la *Sonate en la* de Bach et Mlle Cosima la *Sonate en mi bémol* de Beethoven. Je l'ai fait travailler à des arrangements pour piano à quatre mains, des œuvres instrumentales. Je leur en fais l'analyse et je mets plutôt trop de pédantisme que trop peu dans la surveillance de leurs études... Je n'oublierai jamais la délicieuse soirée où je leur ai joué et rejoué votre *Psaume*. Les deux anges étaient quasi agenouillées et plongées dans l'adoration de leur père. Elles comprennent mieux que personne vos chefs-d'œuvre, et vraiment vous avez en elle un public donné par la nature. Comme j'ai été ému et touché en vous reconnaissant *Ipsissimum Lisztum* dans le jeu de Mlle Cosima.

Marie tenait-elle autant qu'elle le disait à élever elle-même ses enfants ? Sans doute pas. Mais elle ne pouvait supporter l'idée d'être tenue à l'écart de leur vie. Blandine, bientôt rejointe par Cosima, allait entrer à la pension Bertrand. Daniel, trop petit encore, restait chez sa grand-mère. Mais patience ! Elle méditait une vengeance terrible, la seule dont elle se sentait réellement capable. Elle prendrait la forme d'un livre inspiré de celui de Balzac et aussi de George Sand, mais dans lequel elle allait avoir le beau rôle, puisque ce fut elle qui l'écrivit. Elle l'intitula *Nélida*, l'anagramme, bien sûr, de « Daniel ». Et si elle en était l'auteur, elle en serait cette fois l'héroïne. « Commencé *Nélida* avec un extrême entrain », nota-t-elle sur son journal le jour où elle se mit à la tâche, non sans une certaine jubilation.

La trame était transparente. La charmante Nélida, élevée durement par sa tante, la vicomtesse d'Hespel, puis mariée à peine sortie du couvent au comte Timoléon de Kervaens, aristocrate cynique et grand coureur de jupons – pauvre Charles d'Agoult, qui n'était rien de tout cela ! –, s'était laissé séduire par le peintre Guermann Régnier, avec lequel elle s'était enfuie en Suisse. Mais ce dernier, devenu d'une ambition maladive lors d'un séjour à Milan où il avait connu le succès, la quittait bientôt parce qu'elle gênait sa carrière, ce qui faillit la rendre folle. Réfugiée dans le couvent lyonnais où elle avait été élevée, elle y retrouva un sens à sa vie en s'occupant d'aider les ouvriers, et finit par oublier son amant. Cependant, ce dernier, tombé malade et sur le point de mourir, la rappelait auprès de lui pour solliciter son pardon avant de s'éteindre. À la manière de ce qu'avaient fait Mme de Staël avec *Corinne* ou Lamartine avec *Raphaël*, il y avait là non seulement la trame même du drame romantique tant à la mode, mais encore tous les ingrédients du drame qu'avait été sa vie avec un Liszt fortement noirci, pour ne pas dire caricaturé, et de surcroît privé de l'essence même de sa vie puisqu'il n'était plus pianiste mais peintre.

Malgré les imprécations de style, il n'était pas difficile de deviner qu'elle l'aimait encore, peut-être même plus qu'avant depuis qu'elle avait compris qu'elle l'avait perdu à jamais. Ce qui expliquait cette sorte de lamentation de l'héroïne, criant malgré sa haine et avec l'authenticité d'une Andromaque romantique sa passion restée aussi vive : « Ô ma douleur, sois grande et calme. Creuse dans mon âme un lit si profond que personne, pas même lui, n'entende ta plainte. Accomplis ton œuvre en silence. Entraîne avec toi mon amour loin des rives où fleurit l'espoir. Je ne me défends plus contre ton flot amer. Cesse donc d'écumer et de mugir. Ô ma douleur, sois grande et calme ! Ô ma colère, sois fière et magnanime ! Embrasse et consume mon cœur, mais ne te répands plus en paroles. Reste cachée, même à Dieu. Car tu es si juste, ô ma colère, que Dieu te pourrait exaucer, et alors tu serais vaincue, tu cesserais d'être. Et moi, je veux que tu sois immortelle, comme l'amour qui t'a engendrée. Ô ma colère, sois fière et magnanime ! Ô mon orgueil, ferme à jamais tes lèvres, scelle mon âme d'un triple sceau ! Ce que j'ai dit, nul ne l'a compris, ce que j'ai senti, nul ne l'a deviné. Celui que j'aimais n'a pénétré que la surface de mon amour. C'est à toi seul que je me fie. Ô mon orgueil, ferme à jamais mes lèvres ! Ô ma sagesse, n'essaye pas de me consoler ! En vain tu voudrais me rendre infidèle à mon désespoir, je sais qu'il descend des régions où rien ne doit finir. Dans sa beauté sinistre, il a convié mon âme à des noces éternelles. Rien ne doit plus briser l'anneau qui nous lie. Ô ma sagesse, n'essaye pas de me consoler ! »

À celle-ci, Guermann répondait : « Il est une douleur plus grande mais moins calme que la vôtre, Madame, c'est la mienne, en ne trouvant plus dans votre cœur aucun des sentiments dont mon cœur a besoin. Il est une colère plus légitime, c'est celle qu'allume en moi la condamnation inique que vous faites peser sur ma vie. Il est un orgueil qui ne vous parlera plus qu'une fois, car vous l'avez blessé à mort. C'est celui d'un homme que vous méconnaissez, parce que votre âme pusillanime et votre esprit timide ne sauraient concevoir que des existences ordonnées suivent les mesquines proportions de la règle commune. Il est une sagesse qui me dit que nous ne pouvons plus nous comprendre et que nous devons nous quitter, jusqu'à ce que vos yeux s'ouvrent à une lumière nouvelle qu'il ne dépend pas de moi de vous faire apercevoir. » Était-ce ce qu'elle croyait être logiquement la réponse de Liszt ? Mais c'est elle qui tenait la plume. Elle préjugeait une fois de plus de sa réaction, de même que de la sienne propre, en tenant à informer le public – c'est-à-dire le Tout-Paris de l'époque ! – qu'elle s'était guérie de Liszt, ce qui était totalement faux malgré ce couplet achevant son livre : « Qu'est devenue Nélida ? Si le lecteur s'intéresse à cette femme courageuse assez pour désirer connaître le lendemain de ses jours d'épreuves, s'il veut apprendre quelle maturité peut succéder à une telle jeunesse, quel soir à un tel matin, s'il demande où se reposent ici-bas les âmes ainsi faites, nous le lui dirons peut-être en son lieu, mais ne doit-il pas le pressentir ? Chez les femmes les plus hautement douées, le cœur, dans ses élans rapides, dépasse de si loin la pensée qu'à lui seul il agite, soumet, bouleverse et entraîne au hasard toute la première moitié de l'existence. La pensée plus lente en sa marche grandit, d'abord inaperçue, au sein des orages. Mais, peu à peu, elle s'élève au-dessus d'eux, les connaît, les juge, les condamne ou les absout. Elle devient souveraine. »

Toute sa vie, Marie nia que *Nélida* fût un roman autobiographique. Cela est pourtant évident, surtout dans certaines descriptions, tel ce véritable autoportrait : « Rien n'égalait la pureté de ses traits. Son cou, d'une blancheur mate, fléchissait sous le poids de sa chevelure d'or. » Ou dans cette charge contre son amant : « Il avait une sorte d'irritabilité nerveuse et une verve de colère qui, par moments, touchait à l'éloquence, prompt à saisir tout ce qui caressait l'orgueil qui faisait le fond de sa nature. Il se jeta avec ivresse dans le torrent d'idées fausses et vraies, rationnelles et insensées qui, à cette époque, faisaient irruption dans la société. »

Quant aux personnages annexes, ils étaient plus que transparents. Outre Marie et Franz, le lecteur un peu perspicace pouvait reconnaître sans peine la marquise Le Vayer sous les traits de la bornée vicomtesse d'Hespel, l'abbé de Lamennais sous ceux, admirables, de la supérieure du couvent lyonnais, la princesse Belgiojoso sous ceux, sournois, de la comtesse Samoyloff. Ce petit jeu de massacre qui, par ailleurs, se voulait aussi une réponse à *Béatrix*, la défoula sans doute sur le moment, mais il ne lui apporta pas davantage la paix, tant il est vrai que la vengeance est en général mauvaise conseillère, même avec une chute aussi mystique que l'était la dernière ligne : « N'appartenons-nous pas à un temps où rien ne s'accomplit, où nul n'achève aucune tâche ? Les hommes et les choses ne semblent-ils pas frappés aujourd'hui de je ne sais quel ironique anathème ? Ne voyons-nous pas autour de nous tout enthousiasme égaré, toute force dispersée, toute volonté engloutie dans la sombre tourmente de nos amères certitudes ? Seulement quelques-uns, et Nélida est de ce nombre, répètent malgré tout, sans jamais se lasser, au plus fort des ténèbres, la sainte parole du Psalmiste, espoir désespéré des nobles cœurs : Quoi qu'il en soit, Dieu est bon. »

Il y avait cependant quelques bonnes formules dans *Nélida*, telles ces analyses que Marie faisait d'elle-même : « Trop souvent, une femme arrache à l'homme qui l'aime des actes de faiblesse dont elle est fière. » Mais ce genre d'inventions se perdaient dans la longueur de ses doléances finalement lassantes. Contrairement à ce qu'elle avait espéré, le livre ne se fit pas aussi naturellement qu'elle l'eût voulu et l'auteur connut un certain nombre de difficultés pour le faire publier. Contactée, la *Revue des Deux Mondes* refusa, et ce fut la moins prestigieuse *Revue indépendante* qui l'accepta. *Nélida* parut en feuilleton, comme c'était alors l'usage, à partir du 25 janvier. Le succès fut mitigé. Le roman, ni fondamentalement bon ni fondamentalement mauvais, avait le double tort de manquer de métier et de s'être inspiré d'une passion à vif dont l'auteur était loin d'avoir fait son deuil. « Je crois que vous n'en serez pas mécontent, écrivit Marie à Georges Herwegh, il indique clairement, si je ne m'abuse pas, le passage, la défection de la femme en qui réside le sentiment prophétique, l'idéal, et qui va de la société triomphante à la société militante et souffrante. »

Comme on pouvait s'y attendre, Alfred de Vigny, Louis de Ronchaud et Hortense Allart firent part, en amis fidèles, de leur enthousiasme, bientôt suivis par Eugène Pelletan. Pierre Gascon de Molènes, dans *Le Journal des débats*, fut plus dur. Quant à Sainte-Beuve, silencieux malgré les appels de Marie le priant de monter au front pour sa dame, il fit le mort. S'était-il lassé d'elle ou avait-il compris qu'elle ne l'avait utilisé que pour susciter la jalousie de Franz ? Plus tard, il allait se contenter de noter dans son fameux *Cahier vert* : « Mme d'Agoult avait livré au public son ancien amant Liszt dans *Nélida*. Voilà Mme Sand qui, à ce qu'on m'a dit, fait la même chose pour Chopin dans *Lucrezia*. Ces dames ne se contentent pas de détruire leurs amants et de les dessécher, elles les dissèquent ! »

Et Liszt ? Premier intéressé, il lut l'ouvrage attentivement, comme elle l'espéra, et même lui rendit compte de ses impressions, tout en feignant de ne pas s'y être reconnu : « Je viens de terminer *Nélida*, et avec la meilleure envie du monde de vous rendre les mauvais compliments que vous me faites sur ma cantate, je ne l'entreprendrai point, car ce serait une double bêtise de ma part, et en fait de bêtise, au moins, il faut tâcher de rester simple. Il y a évidemment, et constamment, dans ces deux volumes une rare élévation de pensée et de cœur. Et nonobstant une certaine gaucherie, ou plutôt un certain maniéré dans la pose des personnages, l'intérêt se soutient remarquablement. Je ne sais si l'on peut trouver dans ce livre des hauts et des bas, des qualités et des défauts. Pour moi, je n'y sens qu'une noble déchirure, une large et profonde plaie idéalement cicatrisée de presque toutes parts. D'Eckstein vous disait un jour que le style n'était pas seulement le vêtement de la pensée mais bien sa peau. Eh bien, dans *Nélida*, le style me semble bien être comme la seconde peau venue avec la cicatrice. L'interprétation des personnages – ce que vous appelez la clef du roman – m'importe peu, et puisque vous me permettez d'être sincère, je vous dirai que je crois qu'en général vous vous laissez encore trop préoccuper par des questions de ce genre. Ces sortes de questions, je le sais, ont causé d'anciens dissentiments entre nous. Je ne sache pas que le temps ait donné tort à mon jugement, et je persiste à croire qu'il vous reste encore un peu trop de défroque de la rue de Beaune que vous pouvez sans inconvénient désormais jeter à la Seine... Quoi qu'il en soit, Dieu est bon, et vous avez fait un livre distingué à tout le moins. Continuez de la sorte et tâchez de faire mieux, si vous pouvez. »

Avait-elle espéré le mettre en colère ? Elle ne suscita que son ironie, même si, naturellement, il fut infiniment plus blessé de la charge qu'il voulut bien le dire. En fait, il avait enfin compris qu'il ne fallait jamais attaquer Marie de front puisque, au fond, elle n'attendait que cela. Il préféra esquiver, biaiser, battre en retraite sans éclat et ne plus en parler à l'avenir, lui faisant seulement remarquer : « Les torches de l'opinion que vous agitez si puérilement m'effraient peu, je vous assure. » Leur échange de lettres se poursuivit donc au fil des années avec toujours les mêmes sous-entendus, les mêmes petites phrases, les mêmes reproches voilés ou franchement exprimés, le même agacement mais la même fascination de l'un envers l'autre, faisant qu'au-delà de la rupture consommée, leur relation ne devait jamais être totalement rompue. Ainsi lui écrivit-il : « Vous protestez contre mon mal de transcription et mes arrogances naïves. En cela, comme en mille choses, vous avez parfaitement raison, mais j'avoue que j'éprouve une répugnance presque invincible à redire les mêmes choses, et comme je ne possède nullement le talent du style ni la rare faculté de varier indéfiniment le même fond par des formes diverses, je trouve plus commode de me citer tout bonnement. Du reste, vous savez que je n'ai même pas le bonheur de réunir dans ma personne tous les défauts à la fois et, tout en m'accusant d'avoir la tête dure, je crois posséder assez de sensibilité d'épiderme pour ne pas m'exposer volontairement à encourir par trop souvent les mêmes reproches. »

Elle répondit quelques mois plus tard : « La plus grande joie de mon cœur sera toujours de vous savoir et de vous voir en possession de vous-même et réconcilié avec la vérité. Adieu. À revoir et à recauser de tout cœur et de tout esprit. » Une nouvelle fois, le ton baissa d'un cran. Leur correspondance, désormais, se limita à l'essentiel, ou presque. Liszt, de son côté, l'entretint de ses succès, ce qui était une façon de lui faire remarquer que lui continuait sa voie créatrice. Pouvait-elle en dire autant ? Ce n'était pas sûr ! Crurent-ils dépasser leurs problèmes existentiels en entretenant cette flamme permanente au fond de leur cœur ? Mais ce combat perdu d'avance – comment ne l'avait-elle pas compris plus tôt ? –, avec un homme qui allait et venait comme il voulait et était devenu à présent une puissance bien au-dessus des attaques, finit par l'épuiser, menacer sa santé physique et mentale, et manqua de l'anéantir : « Ma vie est plus dénuée qu'en un cloître. Qui croirait à ma solitude de cœur… Aucune joie physique ou morale. »

Telles étaient les réflexions qu'elle parsema sur son journal intime, ce que ressentit fort bien sa fille aînée, Claire, en écrivant : « Maman a le cœur calciné. » Son entourage, ses amis commencèrent à prendre peur face à une détresse aussi totale. Elle devait se reprendre et consacrer ses forces à un autre combat que celui qui l'opposait à Liszt. Que diable ! N'était-elle pas un être pensant ? Une intellectuelle ? Combien de matériaux avait-elle accumulés depuis des années pour, finalement, ne rien en faire ? Elle était née sous le règne de l'écriture. Goethe l'avait adoubée lui-même. Son salon était l'un des centres pensants de Paris. Alors, tous se liguèrent pour la pousser à se libérer par l'écriture. Sainte-Beuve, Girardin, Ronchaud lui expliquèrent qu'elle perdait son temps par de misérables petites affaires comme *Nélida*. Elle comprit, et put éteindre sa rancœur d'un joli mot qui, enfin, mit un terme à cette mauvaise parenthèse : « Le pire de certaines haines, c'est qu'elles sont si viles et rampantes qu'il faut se baisser pour les combattre. »

Le temps était venu de passer à autre chose. Il fallait aller plus loin, plus haut, plus profond. Sa véritable vie n'était pas contenue dans l'amour mais dans l'art, la philosophie, la politique, à condition qu'elle cesse de gémir, se mette sérieusement au travail, et oublie ce Liszt qui, pour grand qu'il fût, ne la valait pas. Malgré son génie, il n'était qu'un saltimbanque de la musique, un acrobate du piano, un Casanova de salles de concerts, proie des caricaturistes féroces et des maris jaloux ,dont l'un, un jour, pourrait bien expédier l'insolent *ad patres* sur un pré au petit matin, à la clairière de n'importe quelle forêt d'Europe. C'était ce qu'on lui répétait autour d'elle, et elle finit par s'en convaincre, même si, bien sûr, elle savait que ce n'était pas vrai et que toutes les médisances colportées sur le compte de l'élu de son cœur étaient comme autant de preuves d'amour de ses chevaliers servants qui, s'ils eussent vécu à une autre époque et sous d'autres latitudes, auraient sans doute aimé venir déposer à ses pieds la tête du rival maudit enfouie au fond d'un sac.

Alors elle prit de bonnes résolutions. Une profonde métamorphose s'opéra dans sa tête, sinon dans son cœur, comme elle allait bientôt le résumer si joliment dans ses *Esquisses morales* : « Notre vie, c'est la tour de Pise. Nous la commençons avec audace et certitude, nous la voulons droite et haute, mais tout à coup, le terrain sur lequel nous bâtissons vient à s'effondrer. Notre volonté nous fait défaut, nous croyons que tout est perdu. Souvenons-nous alors de Bonanno. Imitons-le. Étayons d'abord notre âme, puis faisons la part de nos fautes. Mais continuons, continuons. Ne craignons pas la peine. Achevons notre vie penchée, qu'on puisse au moins douter, en nous jugeant, s'il n'a pas mieux valu qu'il fût ainsi, et si une perfection plus complète n'eût pas été peut-être moins admirable. » Flaubert allait un jour écrire à George Sand : « L'homme n'est rien, l'œuvre est tout. » Franz lui-même avait appelé son attention sur cet impératif devoir d'effort : « Il met à la base de toute activité la loi de l'effort à laquelle il s'est soumis lui-même. » Combien Marie eût-elle pu reprendre ce sage précepte à son compte. Marie d'Agoult ou... Daniel Stern !

Comme il est doux, malgré le décalage horaire de l'Histoire de pouvoir constater que les affinités électives des génies dépassent ou réduisent l'espace-temps pour nous restituer des fraternités intactes. Ainsi les deux plus grands obstacles à la vie, l'indifférence et la mort, sont-ils fracassés par une communion magnifique ; celle consacrée par Charles Baudelaire qui apostrophe à distance Franz Liszt dans *Le Spleen de Paris* : « Cher Liszt, à travers les brumes, par-delà les fleuves, par-dessus les villes où les pianos chantent votre gloire, où l'imprimerie traduit votre sagesse, en quelques lieux que vous soyez, dans les splendeurs de la Ville éternelle ou dans les brumes des pays rêveurs, improvisant des chants de délectation ou d'ineffable douleur ou confiant au papier vos méditations abstruses, chantre de la volupté et de l'angoisse éternelles, philosophe, poète et artiste, je vous salue, en l'immortalité ! »

VII

Daniel Stern ou la sagesse retrouvée

Isolement. Isolement. Sentiment ennuyeux de confusion à voir ma vie si mal menée depuis vingt ans ! Je n'ai su garder ni conquérir que la vaine fumée d'un nom célèbre.

Marie D'AGOULT

À Paris un hiver, la comtesse d'Agoult, s'entretenait comme à son habitude dans son salon avec son interlocuteur préféré, Émile de Girardin. Assis près d'un bon feu de bois, il venait de prendre connaissance de son dernier texte sur le peintre Paul Delaroche.

— C'est excellent, excellent, il faut le publier.

— Vous croyez ?

— Sans aucun doute !

— Mais je ne peux pas le signer du nom de d'Agoult.

— Eh bien, prenez un pseudonyme.

— Lequel ?

— Trouvez un nom.

Marie prit alors son crayon et, après réflexion, écrivit sur son buvard : « Daniel ». Dans son esprit, un pseudonyme ne pouvait qu'être masculin puisqu'il était toujours impensable qu'une femme pût publier sous sa véritable identité, sauf à courir le risque d'être refusée, critiquée et raillée.

— Voilà qui est fort bien pour le prénom, mais le nom ?

— Je préférerais qu'il fût allemand. Que pensez-vous de Daniel Wahr ?

— C'est un peu lourd, trouvons mieux. Ah, j'y suis : Marie, vous êtes aussi belle qu'une étoile et vous avez mission d'éclairer le public. Alors pourquoi pas Stern ?

Elle réfléchit. « Daniel », comme son fils, comme le prophète aussi, qui, sauvé de la fosse aux lions, lisait dans les rêves et incarnait la régénérescence de l'esprit. « Stern », comme l'étoile, c'est-à-dire la foi en l'avenir, foi dans ses convictions, avenir de l'humanité, la voie ouverte. Cela lui convenait.

— Daniel Stern ? Cela sonne bien. Je l'adopte.

Certes, cela faisait dix ans qu'elle écrivait, depuis le commencement de son histoire avec Franz. Mais aujourd'hui, ce qui n'avait été qu'un besoin compensateur devenait une passion, une raison d'être, un but, une ambition. Daniel Stern était déjà né, mais il n'existait pas encore véritablement dans l'esprit du public, à l'exception des articles de Liszt qu'elle avait naguère réécrits, de son journal intime, de ses lettres, et naturellement de *Nélida* mais qui – c'était une évidence ! – ne fut pas son meilleur ouvrage.

Depuis quelques années, elle donnait régulièrement des articles dans *La Presse* sur la peinture et la musique, commentant les salons et les concerts publics. Des commentaires immédiatement très appréciés d'un public cultivé et attentif, mais qui ignorait que le perspicace et anonyme auteur de ces chroniques sur Cherubini, Ingres, Overbeck ou Bettina d'Arnim était une femme, et même une femme du grand monde qui avait rompu totalement avec son milieu d'origine.

Certains, bien sûr, le savaient, et cette notoriété naissante raviva son salon. Désormais, ce n'était plus chez une hôtesse que les écrivains se rendirent, mais chez un confrère reconnu et admiré, comme en témoigna encore Louis de Ronchaud : « Victor Hugo parut dans le salon de la rue Neuve-des-Mathurins, mais comme un passant glorieux qui n'a pas le temps de s'arrêter. Lamartine y vint en ami, il s'assit plus d'une fois à la table dont la maîtresse de la maison faisait les honneurs avec une grâce accomplie et sûre d'elle-même. Comme Chateaubriand, il aimait ce talent singulier, dont les premiers essais avaient eu le privilège de captiver son attention. On pouvait aussi rencontrer chez Madame d'Agoult l'abbé de Lamennais, dont la conversation enjouée et spirituelle dans l'intimité contrastait avec la violence amère de ses écrits polémiques ; le baron d'Eckstein, un étranger devenu français, esprit hardi dans une âme religieuse, imagination savante, philosophe libre et poète enchaîné, prodigieux de verve à ses heures ; M. Mignet, beau et grave, digne et bienveillant ;

Mickiewicz, le poète polonais, dont le visage ravagé et rigide ressemblait, pour employer une de ses expressions, à un monument national. Ponsard y faisait lire par Bocage sa tragédie de *Lucrèce* avant la représentation, et Ingres y venait causer de l'Italie. »

C'est ainsi que, chez elle encore, Victor Hugo vint présider un dîner où se pressèrent autour de la table Félix Duban, Jean-Jacques Ampère, Honoré de Balzac, Dominique Ingres et Auguste Mignet. Elle pouvait être pleinement satisfaite. Paris la lisait, Paris venait chez elle, Paris la reconnaissait enfin au terme de tant d'épreuves que Marcelline Desbordes-Valmore résuma ainsi, dans le poème qu'elle lui envoya :

Tu traverseras seule un brûlant purgatoire
Tes blonds cheveux souvent ruisselleront de pleurs,
Mais sous les longs rideaux du fervent oratoire,
Pour te garder à dieu, j'aviverai des fleurs.

Plus personnel fut bientôt la publication de deux longues nouvelles, presque des romans. *Hervé*, en décembre 1842, raconte une histoire d'amour entre un jeune homme fougueux et une belle brune angélique. *Julien*, en février 1843, celle d'un autre jeune homme aux tendances suicidaires, sauvé *in extremis* par la belle Aurélie. Marie y avait, comme à son habitude, mis beaucoup d'elle-même, y compris dans sa dédicace à George Sand : « À une amitié brisée. » Ces deux romans portaient la trace de la douleur qu'elle éprouvait encore – et allait toujours éprouver – de sa rupture avec Franz, ressassant à l'infini le thème de la femme abandonnée et condamnée à demeurer malheureuse pour avoir trop aimé ! Une ultime tentative allait finir par lui faire abandonner le genre de la fiction. *Valentina*, sa troisième nouvelle, fut publiée au mois de juillet 1847. L'héroïne était à nouveau une belle jeune femme, supérieurement intelligente et mal mariée, qui se laissait séduire en Suisse par un cousin de son mari. Sujet trop rebattu, trop autobiographique, trop obsessionnel. La critique le lui fit savoir, et cette fois, elle cessa en constatant : « Je n'avais guère les qualités de romancier. C'était une sottise de paraître vouloir suivre les traces de Mme Sand, quand je n'avais rien de son génie. »

Marie s'attela beaucoup plus sérieusement à ce pour quoi elle était véritablement faite : l'art, la philosophie et la politique, trois sujets de prédilection dans lesquels personne ne pouvait contester la portée de ses connaissances, la subtilité de ses analyses, et même la nature de ses engagements qui la poussaient instinctivement vers les libéraux. Hostiles à la monarchie de Juillet, ceux-ci reconstruisaient dans leur tête un monde idéal qui, bientôt, allait trouver une formidable tribune avec le déclenchement de la révolution de 1848. Comme une boîte de Pandore soudainement ouverte, c'était l'émergence de toutes les utopies trop longtemps contenues par la bourgeoisie capitaliste dominante qui, d'une part, écartait d'emblée tout ce qui sortait des conventions et, de l'autre, entretenait une forteresse de préjugés destinée à la protéger des innovations. Mais partout, le besoin de liberté s'affichait, dès lors que le mouvement romantique avait enfanté, sans trop s'en douter du reste, tous les tropismes de l'utopie militante. Désormais, les intellectuels n'avaient plus peur de s'afficher « socialistes », adeptes de l'amour libre et concepteurs de théories économiques nouvelles.

À la fin de l'année 1847, Marie publia ainsi son *Essai sur la liberté considérée comme principe et fin de l'activité humaine*, synthèse de l'ensemble de ses réflexions depuis sa pratique, déjà ancienne, de la philosophie allemande, une somme de connaissances doctrinales et d'intuitions personnelles soutenues par une langue claire, élégante et parfois austère. Comme elle voulut le présenter elle-même : « Ce livre n'est l'œuvre ni d'un théologien, ni d'un politique, ni d'un savant. Il n'affirme aucun dogme, n'expose aucun système, ne vient donner aucune loi nouvelle. Son origine, ses prétentions sont moins hautes. Il est résulté un jour des questions que s'est posées à lui-même un être de bonne foi qui, après avoir beaucoup souffert, beaucoup vu et beaucoup fait souffrir, a cherché dans la simplicité d'un cœur droit, aidé des lumières d'une raison exempte de préjugés, s'il était ici-bas un bien véritable accessible à la créature mortelle. De quelle nature était ce bien, quelles étaient les forces dont l'homme pouvait disposer pour s'en rendre maître. »

Judicieux exergue pour l'exercice, toujours difficile, d'une pensée personnelle, à l'imitation de ce que les Anciens faisaient si naturellement mais dont le XIXe siècle, inventeur de systèmes complexes, avait perdu le sens de l'éthique lumineuse. Tout y est passé en revue, depuis la requête de l'abolition de la peine de mort jusqu'à l'indispensable politique sociale en faveur des pauvres. Mais, surtout – et c'est la partie la plus originale de l'œuvre –, l'auteur y aborda la question des femmes avec la place que leur donnait le mariage, les maternités asservissantes, leur impossibilité de participer à la vie de la cité et le désœuvrement intellectuel auquel la société les condamnait, en contradiction totale avec ce qu'elle proposait en axiome, la liberté, considérée à ses yeux comme « principe et fin de l'activité humaine ». Ainsi, un siècle avant Simone de Beauvoir et quelques autres, elle engagea, page après page, la première véritable réflexion sur l'avenir de la condition féminine, et osa prôner l'égalité des sexes. Ce fut une véritable « révolution », non pas pour le grand public, que le sujet rebuta, mais au sein des élites de la France romantique. Mener à bien cette tâche en développant pour les autres ce qui, pour elle, avait toujours été évident, lui permit non seulement de mettre de l'ordre dans sa vie, mais encore d'éveiller ses contemporaines, d'ouvrir la voie, de faire des émules, en rompant avec ce qu'elle avait dénoncé : « Penser est pour un grand nombre de femmes un accident heureux plutôt qu'un état permanent. »

En Grande-Bretagne, en Allemagne et ailleurs, un mouvement se dessinait, celui de la femme engagée dans les combats de son temps, qui revendiquait le droit de jouer un rôle dans la vie de la cité. Pourquoi pas en France ? Il allait encore falloir attendre des décennies avant de concrétiser ce qui n'était encore qu'un rêve, mais Marie savait qu'en semant ainsi les graines, la moisson serait prometteuse. L'effet escompté fut atteint, puisque la plupart des hommes qui faisaient alors l'opinion condamnèrent ses théories, tant Lamartine, qui refusa de le lire, que l'abbé de Lamennais, scandalisé par l'apologie du divorce et le droit des femmes à disposer de leur corps. Quant à Sainte-Beuve, il resta tout bonnement perplexe devant la nature de tant de revendications.

Une nouvelle fois, Marie trouva le moyen de choquer le grand monde et ce qu'on n'appelait pas encore « l'intelligentsia », ce qui l'indifféra, et peut-être même la flatta. En revanche, les progressistes l'applaudirent et firent savoir à haute voix l'admiration qu'ils éprouvaient pour cette grande dame qui reniait avec autant d'audace les préjugés de sa caste. Ainsi, Proudhon lui écrivit pour lui faire part de son enthousiasme : « Je vous avoue, Madame, que j'ai été surpris de cette puissance d'assimilation qui rend chez vous si naturelles et si simples des choses que nous autres, théoriciens à grands effets, ne produisons qu'avec le secours des plus puissants appareils. » Le Père Enfantin, prophète de la future éthique « quarante-huitarde », approuva lui aussi, non sans quelques réserves.

Encore quelques semaines et Marie put écrire dans son carnet, avec une joie non dissimulée : « La gloire vient ! » Le préfet de police Delessert ne venait-il pas d'inscrire son essai sur la liste des publications anarchistes – et de ce fait dangereuses –, avec l'appréciation suivante : « Satire passionnée *[sic]* de la société et des institutions sur lesquelles elle repose, tableaux exagérés de la misère des classes laborieuses... » C'était, d'une certaine manière, la consécration, mais aussi l'abandon définitif de son milieu, comme elle l'expliqua au Dr Guépin : « Si votre rupture date de 1848, la mienne date de 1835. Ce monde-là m'a anathématisé pour avoir abaissé l'aristocratie en aimant un artiste. On m'a fait des ponts pour revenir à la religion, à la propriété. J'ai répondu par l'*Essai sur la liberté.* » Ce n'était pas son premier défi. Ce ne fut pas le dernier.

Peu à peu, la sagesse revint. L'écriture fit oublier à Marie sa haine de Liszt. Un équilibre s'opéra dans son esprit et dans son cœur, comme une sorte de métamorphose. La rancœur n'était plus compatible avec la hauteur de la pensée. Plus, même, elle en incarnait le contraire. Marie comprit enfin que tout ce qu'elle avait jusque-là focalisé sur Franz – pureté, grandeur, spiritualité – devait en fait se reporter sur la littérature. En un mot, si celui avec lequel elle s'était enfuie naguère restait le seul amour de sa vie, il n'était plus son idéal, ne pouvait plus l'être parce qu'il n'était qu'un homme, exceptionnel certes, mais dont les qualités et les défauts étaient ceux de tous les hommes. Il lui fallait s'émanciper. Seule l'écriture le lui permit, quitte à procéder à cet authentique mais libératoire dédoublement de personnalité présidant à la construction du personnage masculin de Daniel Stern, qui la mettait à présent au même niveau que les hommes, bientôt à un niveau supérieur. Comme elle le résuma elle-même dans son livre en affirmant que « l'homme libre, c'est l'homme achevé », c'est-à-dire elle-même, libérée dans sa plénitude mentale et intellectuelle. L'ange était devenu un cerveau. Une démarche qu'elle avait toute sa vie rêvé de mener à terme et qu'elle avait su cultiver dans les *Pensées* de Marc Aurèle, devenues son livre de chevet.

Franz, cette fois-ci impressionné, lui écrivit pour lui faire part du plaisir qu'il avait éprouvé en lisant son dernier livre, preuve, peut-être, qu'il avait parallèlement effectué en lui la même démarche, suivi le même itinéraire : « Le livre est beau et bon. Il réconforte, raréfie et améliore. Il me faudrait un volume pour en parler à l'aise. »

Enfin, elle avait trouvé sa voie ! Convaincue du bien-fondé de sa nouvelle éthique, elle s'attela aussitôt à un autre ouvrage, *Esquisses morales*, livre qui, par son caractère intime, méritait mieux que l'oubli dans lequel le temps allait l'ensevelir. Plus assurée dans ses propos, son auteur y traitait de la condition humaine en général, concept très nouveau à l'époque, et que le XXe siècle allait reprendre à son compte, en y abordant sans fard l'homme, la femme, l'éducation, le peuple, l'aristocratie, la bourgeoisie, suggérant des pistes d'interprétation parfois audacieuses, toujours convaincantes, avec un rare bonheur de plume consécutif à son détachement des passions. En témoigne la conclusion explicitant ce qu'elle avait voulu faire :

« Un ouvrage de qui ne désire ni ne craint rien et qui n'impose aussi rien à personne ! » Dans la tradition de Montaigne et La Rochefoucauld, Marie se rapprochait ainsi d'une pensée plus classique que romantique, d'une tradition et d'une éthique lui permettant d'unir sa nature aristocratique sans renier en rien ses aspirations démocratiques.

Marie rédigea ses *Esquisses morales* en partie à Paris, en partie en province, où, régulièrement, elle s'éclipsait pour cacher ses crises neurasthéniques que la sérénité retrouvée ne lui évitait malheureusement pas. Car elle avait beau afficher sa beauté préservée, que nombre d'artistes se plaisaient encore à immortaliser – Ingres, auteur d'un superbe dessin la représenta avec Claire, et David d'Angers, gravant son admirable profil sur un des médaillons de sa célèbre série –, ses vieux démons la tourmentaient toujours, à commencer par celui de sa solitude affective. Pour combler ce vide, elle se rapprocha de son neveu, Léon Ehrmann, le fils de sa sœur Augusta, qu'elle recueillit quelque temps chez elle après qu'on l'eut repêché de la Seine dans laquelle ce jeune exalté s'était jeté, comme jadis sa mère dans le Main. Mais, au mois de décembre 1845, il s'en alla tristement finir ses jours en Grèce, où il faisait partie de la suite de Théobald Piscatory, promoteur de l'École d'Athènes que Louis-Philippe venait de fonder. Nouvelle désillusion accroissant son désarroi. La lignée des Bethmann n'était-elle pas maudite ?

Pour conjurer le sort, Marie s'occupa davantage de sa fille Claire, à présent âgée de dix-sept ans, qui prit l'habitude de venir chez cette mère qu'elle connaissait si mal. Marie mit les bouchées doubles pour tenter de rattraper le temps perdu, veiller sur son éducation, et développer ses dons exceptionnels pour le dessin et la peinture. Comment avait-elle pu négliger cette jeune femme qui lui ressemblait tant ? Sa fille qui, un jour, tracera d'elle un portrait inspiré que Marie demandera à Léopold Flameng de graver pour en offrir des exemplaires à ses amis. Cette complicité lui fit du bien. Il fallait bien que les femmes se soutiennent entre elles si elles voulaient jouer un rôle.

L'avenir de la condition féminine la rapprocha aussi de la politique, qui, au fil des années, prit une importance de plus en plus grande dans sa vie, ses pensées et ses écrits. Ainsi, depuis ses dernières publications, recevait-elle plus volontiers dans son salon tous ceux qui voulaient que les choses changent, c'est-à-dire pas seulement la chute de Louis-Philippe et l'émergence d'une nouvelle république, mais la mise en place d'un système dans lequel les idées sociales et libérales puissent enfin être mises en application. L'entourage de Marie fut à cette époque l'un de ces laboratoires de la pensée politique, où Littré côtoyait Lamartine et Georges Herwegh Pascal Duprat, où un certain nombre d'intellectuels étrangers – car la problématique devint européenne – venaient débattre avec leurs confrères français, tels Mickiewicz, Gutzkow et Telekin. Ne fut-elle pas l'un des premiers esprits, en France, à découvrir l'œuvre de l'Américain Emerson, à qui elle consacra une longue étude dans *La Revue indépendante* du mois de juillet 1846, contribuant ainsi à en mieux faire connaître l'œuvre ?

C'était déjà, un siècle avant Sartre, « la cause du peuple » qu'on défendait ici, même si Marie, grande dame privilégiée par sa naissance, avait une vision assez imprécise de ce qu'était véritablement le peuple de son temps, sans cependant sacrifier au cynisme d'un François Mauriac, qui allait un jour s'écrier : « Mourir pour le peuple, oui. Vivre avec, non ! » Emmêlant ses aspirations politiques avec ses revendications féministes, la comtesse d'Agoult avait surtout une vision théorique des problèmes. Le fait qu'elle ne pouvait voter la révoltait. Mais pensait-elle que ses femmes de chambre devaient aussi avoir ce droit ? Il semblerait qu'elle ne se soit pas posé ce genre de questions ! On ne saurait le lui reprocher. La conscience démocratique était encore balbutiante, on raisonnait davantage en juriste qu'en économiste. L'idée sociale, dont la Grande Révolution s'était désintéressée, était nouvelle, surtout depuis que le développement du grand capitalisme avait mis en évidence la détresse du nouveau prolétariat qu'elle avait enfanté en vidant les campagnes pour grossir la périphérie des grandes villes.

Le mois de février 1848 ne la surprit donc pas trop, lorsque la monarchie de Juillet s'effondra devant la poussée des barricades. Elle provoqua surtout sa jubilation, qu'elle exprima dans son journal : « Tous mes amis vont être au pouvoir. » Ils le furent, en effet, Lamartine le premier, et avec lui Louis Blanc, qu'elle recevait à sa table et qu'elle entourait de ses conseils, s'imaginant alors qu'« elle dirigeait la République », comme elle le confia à sa fille Claire. Elle alla même à l'Hôtel de Ville et s'enthousiasma devant cette foule « éclairée par une multitude de torches et de feux de Bengale, bigarrée d'uniformes et de blouses, ces chants, cette animation sans tumulte ». Cette émulation lui procura une incontestable jouissance tout autant qu'une découverte, elle qui jusque-là n'avait connu de la vie publique que le charme feutré des salons.

Dès lors, on ne la vit plus chez elle pendant les premiers mois de la IIe République. Un jour elle était à l'Assemblée nationale, assise dans les balcons de la grande salle qu'on venait d'édifier à la hâte dans la cour du Palais-Bourbon, un autre au palais du Luxembourg, où Louis Blanc et l'ouvrier Albert dirigeaient la Commission des travailleurs, dans laquelle la France inventait l'économie sociale.

Qui, dans cette ambiance tout à la fois lyrique, sentimentale et créative, prêtait attention à cette femme rayonnante, étoile d'une révolution inédite qu'on voyait avec les puissances du jour ? « Si tu savais à quelle heure je suis rentrée ce matin, écrivit-elle à sa fille, à 6 heures, après avoir passé toute la nuit – et la journée d'hier à partir de 10 heures du matin – à l'Assemblée ! » On était loin du temps où elle ne sortait de chez elle qu'en grande toilette pour participer aux soirées de la marquise Le Vayer ! Jamais on ne revit une telle ambiance de liesse dans Paris, si ce n'est en mai 1868, époque où l'infatigable Daniel Stern ne se ménagea pas davantage que Marie d'Agoult, qui publiait ses « lettres républicaines » dans *Le Courrier français*, comme elle s'en justifia : « Ces lettres, écrites sous l'inspiration vive des événements dans un milieu ardemment républicain, respirent un enthousiasme et une ferveur d'espérance qui semblent à ces heures presque incroyables. Le langage a parfois une sorte d'accent mystique que je ne m'expliquerais plus moi-même si je ne me reportais au temps où j'en parlais avec tant d'autres. »

Au passage, elle était heureuse de prendre sa revanche sur ses deux rivales, la princesse Belgiojoso et George Sand, elles aussi très investies dans la nouvelle marche des affaires, mais que Marie dominait facilement par sa culture politique. Si elle avait des doutes, elle ne put qu'être rassurée par Béranger, qui naguère avait raillé *Nélida*, lorsqu'il lui annonça qu'il avait eu raison avant elle en lui conseillant de chercher une autre voie : « Il me semble que vous l'avez trouvée. Ce que vous faites est très bien, très sensé, très bien dit. Il est vrai qu'on fait plus d'effet en parlant aux passions, mais voyez où l'on va et comment tout cela finit ? Autrement, on fait moins de bruit, mais c'est plus durable. D'ailleurs, il me semble que vous faites assez de bruit. »

Mais plus dure fut la chute ! Au bout de quelques mois, la Révolution prit un tournant totalement réactionnaire et s'acheva par les massacres du mois de juin, consommant pour longtemps la rupture entre l'élite républicaine et le peuple, atterrant tous ceux dont le cœur avait vibré à son commencement, Marie la première, qui adressa à Cavaignac une adresse publique signée d'une « suppliante » pour l'inciter au pardon. En vain !

Elle se passionna alors pour l'élection présidentielle, fit campagne pour Lamartine et fut horrifiée par la surprise finale, l'élection de Louis Napoléon Bonaparte à une écrasante majorité. Ce jour-là, elle ne confia son immense déception qu'à son journal : « Temps pluvieux. L'affliction pénètre jusqu'à mes os. Je me retiens pour ne pas éclater en sanglots. Honte à nous, honte à la France, à la République. Honte à la démocratie, honte au peuple. Je regrette le règne de Louis-Philippe ! Alors, du moins, nous avions l'espoir et l'illusion de nous-mêmes. Moi, si calme, si modérée, je sens la haine entrer dans mon cœur, je sens que je deviendrais terroriste au besoin et qu'il faut à tout prix que cette masse d'intrigants et de fourbes égoïstes qui conspire la ruine de la République soit écrasée. » La passionnée est devenue une « pasionaria », à présent occupée à rédiger ce livre essentiel qu'allait être son *Histoire de la révolution de 1848*, dont il n'est pas excessif de dire qu'il allait rester, jusqu'à aujourd'hui, le meilleur texte sur cette époque parce que profondément authentique, son auteur ayant fui la société tout au long de sa rédaction et s'étant retiré dans le refuge de son appartement.

Combien de nuits de veille coûta à Marie cet exercice de synthèse lucide et de rigueur imposée ? Elle ne sut l'établir elle-même, mais elle y traduisit admirablement les ambiguïtés, les contradictions et l'extrême complexité de cette révolution populaire confisquée par une minorité politique qui, par son aveuglement, finit par enfanter la dictature. Contemporaine de Karl Marx, qui lui aussi avait analysé la situation en parvenant à des conclusions assez proches des siennes, la comtesse révolutionnaire voulut laisser autant un témoignage qu'une explication d'un phénomène historique qu'elle avait vécu de l'intérieur. Ainsi se mit-elle immédiatement au travail pour le raconter au jour le jour, et surtout l'expliquer avec une lucidité remarquable, ce qui constituait une double performance. Ce fut un travail titanesque de mémoire, d'écriture, et aussi de consultation puisqu'elle interviewa l'ensemble des protagonistes de cette épopée encore trop mal connue et trop mal comprise. Elle parcourut toute la presse et se plongea dans les archives. Enfin, délaissant le style par trop conventionnel qu'elle avait utilisé dans ses romans, elle usa d'une plume plus mâle et plus vivante, sachant ménager le suspense, les effets de surprise et les chutes les plus inattendues, telle celle-ci : « La nuit fut muette. Le pouvoir crut qu'elle était calme. »

Le succès fut immédiat et la presse libérale unanime, tel Littré qui, dans *Le National*, lui consacra un article plus qu'élogieux, sensible en particulier aux portraits de ses contemporains, à son sens de la description, et à la portée philosophique de ses commentaires. Désormais, Marie savait où était son camp. Elle n'allait plus le quitter jusqu'à la fin de ses jours, républicaine jusqu'au bout des os, mettant toute son énergie pour tirer les leçons d'un échec et faire en sorte que, plus tard, la IIIe République ne fût point un succédané de la deuxième, à savoir une aventure, mais une construction harmonieuse et durable. En attendant, ce troisième essai politique, qui la mit à l'égal de Louis Blanc, consacra non seulement ses talents d'auteur, mais prouva qu'une femme pouvait réussir autant qu'un homme. Marie avait mis en pratique les idées qu'elle avait développées et, plus important que tout, avait achevé la reconstruction de sa personnalité dans une perspective positive et pérenne.

Aussitôt, elle s'attela à son quatrième essai, qu'elle consacra alors à l'*Histoire des commencements de la République aux Pays-Bas*. Non seulement cet essai lui valut plus tard d'être couronnée par l'Académie française, mais Marie prouvait sa grande compétence d'historienne de la vie politique et s'imposait comme membre éminent de l'école progressiste.

En cette même année, par une de ces singulières contradictions dont elle était coutumière, la républicaine se préoccupa du devenir de sa fille aînée, mais d'une manière totalement inverse de l'évolution de ses idées politiques. Trop obnubilée par ses combats, elle n'avait pas vu que Claire venait de fêter ses dix-neuf ans, et s'aperçut soudain qu'à son âge, elle était déjà mariée. Son devoir de mère lui imposait de lui trouver une position dans le monde, et elle lui chercha elle-même un mari. Pensa-t-elle que sa fille ne devait pas la suivre dans la voie périlleuse qui était désormais la sienne ? Voulut-elle la préserver en adoptant pour elle une attitude des plus conformistes, et par là même exorciser son passé ? Ou pensa-t-elle la prémunir de tout danger futur en la dotant d'un homme qui, en cas de péril sentimental, pût s'avérer être un nouveau Charles d'Agoult ? Elle-même ne s'expliqua pas pourquoi elle commit l'erreur de se focaliser sur un jeune homme qui lui convint, c'est-à-dire de rééditer ce qu'avait fait pour elle sa propre mère, sans réfléchir aux conséquences. Le jeune comte Guy de Girard de Charnacé lui plut par sa mesure. Il était attiré par Claire, mais ce n'était pas réciproque. Marie pressa cependant l'affaire qui, le 28 mai, fut consommée.

Comme on pouvait s'y attendre, ce mariage allait bientôt se révéler un désastre. Malgré la naissance de deux enfants, il s'acheva bientôt par le départ de Claire qui quitta son mari pour un amant. Non seulement Marie allait être surprise par cette conclusion inattendue, mais elle reprocha à sa fille de réitérer ce qu'elle-même avait fait jadis, de répéter sa propre histoire ! Qu'avait-elle gagné dans cette aventure ? Rien, sinon de faire le malheur de sa fille en l'introduisant dans une belle-famille de la noblesse catholique, monarchiste et provinciale, qui ne découvrit qu'après le mariage que la mère de leur bru était une femme qui avait quitté son mari pour un autre, avait mis au monde trois enfants adultérins, et militait aujourd'hui pour la république ! Que n'avaient-ils lu Daniel Stern avant de consentir à s'unir aux d'Agoult ? Ce fut un beau scandale, bien que Claire sût finalement tirer son épingle du jeu en acquérant sa propre liberté à ce prix, comme sa mère avant elle. La vie est un éternel recommencement, mais seuls ceux qui la vivent en tirent les leçons.

Une page venait de se tourner et cet amour naissant fit remonter le souvenir d'un autre. Au lendemain du mariage de Claire, Marie s'aperçut qu'elle pensait toujours à son bien-aimé, fût-ce d'une manière différente, plus apaisée, comme elle le suggéra dans ce nouvel écrit : « Le sentiment le plus parfait, le plus doux à l'âme, dans sa plénitude tranquille, c'est l'amitié qui succède à l'amour entre un homme et une femme qui n'ont à rougir ni de s'être aimés passionnément ni d'avoir cessé de s'aimer avec l'ardeur première de la jeunesse. »

Un mois après le mariage de sa fille, il lui prit subitement l'envie de revoir son château de Croissy, dans lequel elle ne s'était plus rendue depuis 1835, et qu'elle envisagea d'offrir au jeune couple. Elle fut surprise de constater l'état d'abandon du domaine, mal géré par son mari : « Dévastation absurde de la maison. Salon doré : trois ou quatre vieux fauteuils. Pas de rideau. Un devant de cheminée, déteint et déchiré. Appartements du haut inhabitables. Toutes les futaies abattues, tous les beaux arbres. Les prés non fermés, les potagers non entretenus... Tant d'argent englouti dans cette terre pour en réduire la valeur. Je médite, je réfléchis sur le moins mauvais parti à tirer de cette ruine. » Seule, elle se promena dans les jardins, erra dans les chambres vides et songea que, dans l'une d'elles, elle s'était donnée à

Franz. Ce pèlerinage ranima en elle l'immense mystère du temps et de la vie. Il lui fit songer aussi que si sa fille aînée était engagée, il lui restait trois enfants à établir, Blandine, Cosima et Daniel, pour lesquels elle avait prélevé une somme importante sur la donation qu'elle venait de consentir à Claire.

Ses deux autres filles qui, à leur tour, entraient dans l'adolescence, vinrent justement la visiter à l'improviste le 3 janvier 1850, pour lui offrir leurs vœux de bonne année. Terriblement culpabilisée par cette apparition, Marie décida alors de s'intéresser enfin à sa seconde progéniture. Bravant l'interdiction formulée par Liszt lors de leur séparation, de même que la promesse faite à sa défunte mère, elle entra à son tour dans la vie de ces trois enfants. Informé, le maître vécut très mal cette intrusion et admonesta sévèrement Blandine : « J'ai non seulement à vous gronder, mais à vous blâmer sévèrement, car vous avez mal fait. Il faut vous appliquer à le réparer aussitôt, et cela, vous ne le pourrez qu'en cessant désormais, et pour aussi longtemps que je vous l'ordonnerai, toute visite, toute correspondance avec votre mère... Quand vous aurez réfléchi un tant soit peu que, depuis votre naissance jusqu'à ce jour, j'ai eu constamment et exclusivement à satisfaire aux charges de votre entretien et de votre éducation tandis que votre mère n'a jugé à propos de vous accorder que le bénéfice de ses belles paroles, vous comprendrez aisément que je ne puis me trouver flatté de la promptitude avec laquelle vous m'offrez la moitié de vos tendresses, ni même accepter l'expression de vos sentiments partagés. »

Réaction mesquine de la part d'un grand homme ! Formidable égoïsme d'un caractère obstiné qui croyait pouvoir nier à ses enfants les droits que leur mère pouvait avoir sur eux ! Absurde philippique aussi, d'un être qui ne comprenait pas que les enfants étaient naturellement curieux de connaître une mère célèbre après tant d'années d'absence, surtout à une époque de leurs vies où elles devenaient femmes. Marie prit alors sur elle et finit par reprendre contact avec Franz, non pas pour tenter de renouer, mais pour ne pas totalement effacer cette partie d'elle-même qu'elle ne pouvait quitter, et pour qu'ils envisagent ensemble l'avenir des fruits de leur amour. Elle lui écrivit donc pour lui demander de ses nouvelles. Il lui répondit et ne lui cacha rien, en particulier sa vie désormais commune avec la princesse Carolyne de Sayn-Wittgenstein, sa nouvelle compagne, une aristocrate encore – mais il n'était attiré que vers ce genre de femmes ! –, cette fois polonaise, et tout le contraire de Marie, petite, brune, point jolie, et qui, à l'instar de Mme Hanska, attendait son prince charmant dans son lointain château de Woronince, près de Kiev. Une intellectuelle quand même, bientôt auteur de vingt-cinq volumes sur l'histoire de l'Église, communiant avec le maître dans un amour ambigu où quête spirituelle et passion amoureuse tentaient de faire bon ménage. Ce qui, cependant, n'alla bientôt sans leur poser de problèmes puisque, ayant envisagé bientôt de se marier, ils n'allaient pouvoir mener à bien ce projet. Il est peu de dire que Carolyne comprit bien Franz, sachant le dominer tout en fermant les yeux sur ses multiples aventures, elle qui écrivit un jour : « L'âme de Liszt est trop tendre, trop artiste, trop sentimentale, pour demeurer sans société féminine ; il a besoin de femmes autour de lui et de femmes de tous genres, comme un orchestre réclame des instruments différents. »

Ce nouvel échange entre Marie et Liszt ne s'effectua donc pas toujours aussi sereinement qu'ils l'eussent voulu, puisqu'il y eut encore quelques tensions. Notamment lorsque Liszt confia ses enfants aux soins de Mme Patersi de Fossombroni, qui n'était autre que l'ancienne gouvernante de Carolyne, sa dame de confiance, avec mission de veiller à ce que ceux-ci ne vissent point leur mère. Celle-ci protesta. Il répondit en disant « mes » filles, comme si c'était lui qui les avait mises au monde, et déplaça l'objet du litige sur le terrain des considérations générales : « Hélas ! Nous en voici encore aux explications préalables ! Fasse le ciel que la sincérité mutuelle de nos sentiments pour ces enfants replace bientôt les choses sur un terrain plus naturel et moins hérissé de difficultés inutiles et imaginaires. J'espère que vous n'en conclurez point que je suis un père tyrannique, barbare, dénaturé ! Et qu'un peu de bonne volonté et de bon sens aidant, nous arriverons sans trop d'encombres à ce point désiré où, laissant de côté la loi, les phrases creuses, les sophismes, la dignité factice et les emportements littéraires, nous nous retrouverons d'une manière stable, tels que nous nous sommes aimés et estimés autrefois. »

Pour se consoler, Marie reprit ses vieilles habitudes de voyage, profitant de l'essor du transport ferroviaire pour aller toujours plus loin, toujours plus vite, de la Normandie à la Bretagne, du Bordelais au Pays basque, des stations thermales pyrénéennes à celles des Alpes, de la Provence à l'Italie, de la Suisse à l'Allemagne, des Pays-Bas à la Grande-Bretagne, épuisant ses femmes de chambre et ses amis qui peinaient à la suivre ou à la rejoindre, à l'exception du jeune Louis Tribert qu'elle avait pris sous son aile et qui l'accompagnait partout.

Toujours curieuse de mœurs, de coutumes, de paysages, elle visitait les monuments historiques et les musées, rendait compte de ses excursions à ses correspondants, prenait des notes, comparait les sites, fidèle en cela à la tradition romantique du vécu intensif mais aussi de la fuite en avant, pour tenter de semer ses angoisses. Cependant, l'éternelle errante, qui n'était pas sans faire songer à celle qui allait être plus tard l'impératrice Élisabeth d'Autriche, ne se trouvait bien nulle part, cherchant en vain le port dans lequel elle aurait pu trouver la sérénité.

Jamais pourtant elle ne perdait de vue cette ville de Weimar où « il » habitait, désormais avec « l'autre », quitte à y envoyer des espions en exigeant d'eux des rapports précis sur ce que le maître disait, faisait, jouait, composait. Tel fut, entre autres, le cas de Carlos Davila, qui répondit à toutes ses questions et la rassura sur nombre de points, finissant par la convaincre que la princesse, sa rivale, était laide, que la fumée de ses cigares nuisait grandement à son hygiène de vie, que ses toilettes faisaient province et vieille fille. Marie n'en continua pas moins de plaider auprès de Liszt son désir de revoir ses enfants. En 1854, il finit par céder, après une ambassade, cette fois officielle, de Théophile de Ferrière à Weimar.

On parvint à un compromis. Blandine, Cosima et Daniel purent donc retrouver le chemin du salon de leur mère, enfin heureuse de réunir chez elle tous ses enfants, goûtant pour la première fois le plaisir de la vie de famille, ainsi qu'elle l'écrivit : « Qu'on se figure un tel lieu embelli, animé par toute une floraison de jeunesse, qu'on y voie aller et venir, s'asseoir au piano, au chevalet, qu'on y entende chanter, s'égayer en groupes charmants. Une belle jeune femme avec son petit enfant, bras nus, jambes nues [Claire et son bébé], deux jeunes filles blondes et blanches aux yeux d'azur [Blandine et Cosima], un adolescent, leur frère, au front rêveur sous ses lauriers scolaires [Daniel] ; un accord merveilleux, enfin, de grâce, de suavité, d'intelligence et d'amour, un printemps, un rêve de maternité. »

Le temps perdu pouvait-il se retrouver ? Marie le crut et ses enfants aussi, qui découvraient cette mère si fascinante. Celle-ci suivait désormais leurs progrès scolaires et artistiques, leur faisait visiter les principaux monuments de Paris, leur parlait d'art, de philosophie, leur suggérait de lire tel ou tel livre et les présentait à ses amis, tous écrivains confirmés. Ce que Marie d'Agoult n'était pas parvenue à être naguère, une mère prévenante et attentive, Daniel Stern y arriva, dans la sagesse retrouvée.

Hélas ! Liszt mit bientôt fin à ces retrouvailles en faisant revenir ses filles à Weimar. Pour les expédier en pensionnat à Berlin. « Chaque fois que je commence à respirer un peu, confia Marie à Claire, voici qu'un nouveau coup de massue me jette à terre. » Elle écrivit alors à ses filles, mais Mme Patersi découvrit les lettres et en remit copie à Carolyne, qui les donna à Liszt. Nouvelle algarade du maître et nouveaux désenchantements de Marie qui, ce même été, confiait amèrement à son journal : « Je sens déjà les émanations froides et humides de la terre où on creusera ma tombe. »

Pourquoi, au moment où elle avait enfin abdiqué sa violence à l'endroit de son compagnon, était-ce lui qui laissait la sienne exploser ? Éternelle Sisyphe – héros que les romantiques avaient remis au goût du jour –, elle mit cela sur le compte de la princesse dont elle était évidemment jalouse, surtout depuis qu'elle avait appris que ce qu'elle avait autrefois suggéré à Franz, à savoir se concentrer davantage sur la composition que sur sa carrière d'interprète, Carolyne l'avait obtenu par sa seule persuasion. Elle n'avait pas fini de lutter, mais cette fois sans violence, avec l'arme dont elle disposait le mieux, la séduction. Malgré le désir de Liszt, Marie avait charmé ses enfants, ses filles surtout, et elle savait qu'elle les reverrait puisqu'elle les avait séduites par sa grâce, son esprit et son charisme.

Ce fut à cette époque de pacification intérieure qu'elle renoua avec son frère Maurice. Il avait quitté la carrière pour devenir « un de ces heureux châtelains de la belle Touraine qui n'auraient, s'ils le voulaient, qu'à regarder luire le soleil et pousser les fleurs », comme l'a joliment écrit un historien. Maurice avait néanmoins tracé son chemin comme président du Conseil général d'Indre-et-Loire et pair de France sous la monarchie de Juillet, partageant son temps entre le Mortier et l'hôtel particulier de sa femme, rue des Saussaies, près de l'Élysée. Ce fut en ces deux lieux que la belle-sœur détestée de Daniel Stern entretint sa notoriété littéraire dans le monde des « bien-pensants », si étranger à celui de Marie, rédigeant ses vies de saints – Brigitte de Suède, Catherine de Sienne – et ses livres de prières, ainsi que son plus grand succès, en 1839, *Le Livre de l'enfance chrétienne*. Elle finança ainsi, à deux pas du Mortier, grâce à ses droits d'auteur, l'école libre de Bourdigal, établissement religieux destiné à l'éducation des jeunes filles.

De pensée conservatrice mais indulgent dans son comportement et dévoué à son aînée, Maurice fut heureux de renouer avec celle qu'il n'avait jamais cessé d'aimer, même si Marie ne partageait pas ses convictions politiques ni son sens des convenances, comme elle en témoigna : « Mon frère et moi ne représentions-nous pas, sans nous en douter, l'interminable différend des réalistes et des idéalistes ? » L'apaisement qu'ils cultivèrent ne put s'étendre pour autant jusqu'à Mathilde, la femme de Maurice, Marie portant sur elle un jugement impitoyable : « Exemple de personne restée dans la vie tout à fait antichrétienne, ambitieuse, jalouse, cupide, vaniteuse, médisante et malfaisante. »

Aux antipodes de sa belle-sœur, Marie s'attela à de nouvelles œuvres qui, à leur tour, allaient témoigner de l'aboutissement de cette longue mutation qui l'avait conduite tout à la fois vers le combat féministe et le combat démocratique. Elle puisa dans le passé de la France des exemples que le romantisme, là encore, venait de mettre en évidence. Autour de Jeanne d'Arc d'abord, puis de Marie Stuart et de Jacques Cœur, enfin. Elle construisit donc, en plein Second Empire, une trilogie de trois drames historiques dont elle confia à Michelet l'ambition : « Je voudrais introduire l'histoire vraie au théâtre et contribuer ainsi quelque peu à tourner l'esprit populaire vers nos annales où il aurait beaucoup à apprendre. Si j'avais un succès, la voie que je tente attirerait de plus habiles, et nous finirions peut-être par avoir un théâtre national. » Refusées par les théâtres, ces trois pièces ne furent pas jouées mais seulement publiées dans la presse. Seule *Jeanne d'Arc* sera montée à Turin, en 1860. Le public italien perçut-il la portée de « cette héroïne sans amour, sans rhétorique et son martyre outragé », dans laquelle son auteur mit tant d'elle-même ? Peut-être. Ces trois œuvres constituèrent une étape importante de la maturité de Daniel

Stern, à l'heure de son entrée dans l'automne de sa vie.

Déterminée, plus sûre d'elle-même qu'elle ne le fut jamais, Marie affronta l'avenir à la hauteur de l'élévation de sa pensée. Simart l'avait pressenti en réalisant son buste une décennie plus tôt, la représentant non plus seulement comme une femme désirable, mais comme un être grandi par les épreuves, spiritualisé par la création, à l'heure où elle écrivait déjà dans ses carnets : « Je voudrais qu'on m'appelât Marie la véritable. » Mieux que les écrivains, le sculpteur avait compris la métamorphose de cette femme exceptionnelle, dont les épreuves n'avaient pas détruit la personnalité profonde, mais au contraire l'avaient reconstruite sur des bases plus solides et plus inébranlables. Une métamorphose qui inspira à Marie cette poétique métaphore entre son destin et le rhododendron fleurissant si haut en montagne, qu'elle baptisa « *In alta solitudine* » :

Va, ne la quitte point, ta haute solitude,
Et ne sois pas ingrate à qui de ton malheur
Fut seule confidente, et pour guérir ton cœur
T'amena l'amitié, la grave et douce étude.
Reste à l'obscurité, reste au recueillement ;
Demeure où tu pleuras, où du céleste amant
Parfois tu crus sentir l'invisible présence ;
Où les échos lointains d'un sublime concert
Ont calmé ton esprit ; cache au sacré désert
De ton grand cœur blessé l'orgueil et le silence.

VIII

Un salon républicain sous l'Empire

Comme je n'en saurais douter, la connaissance des hommes, dont l'intelligence, les talents, le caractère se sont acquis la sanction d'une vie pleine de nobles dévouements et de signalés services rendus à la cause de la patrie, vous inspire toujours le même intérêt sympathique et élevé.

Franz LISZT

Au tout début du Second Empire, les environs de l'Arc de Triomphe et de l'Étoile ne ressemblaient en rien au quartier de prestige qu'ils sont devenus aujourd'hui. Entre terrains vagues et campagne cultivée par les maraîchers, c'était encore une zone intermédiaire à l'entrée de Paris, où l'on entendait les oiseaux chanter, indifférents à l'immense masse de pierre d'un monument que Napoléon Ier avait souhaité et Louis-Philippe fini par réaliser, non pas à son bénéfice, comme il le croyait, mais à celui de son successeur, Louis Napoléon Bonaparte, devenu par l'audace d'un coup d'État Napoléon III. Ici, on vivait encore dans la tranquillité, surtout lorsqu'on avait besoin de calme pour étudier, travailler et écrire. Balzac, du reste, l'avait bien compris, qui s'y était installé quelque temps pour ne pas être dérangé par le fracas de la ville, à la fois proche et lointaine.

Quelques ruelles, quelques vieilles maisons de l'autre siècle entourées de jardins où croissaient les lilas et les rosiers, c'était tout ce qu'on trouvait dans le quartier. Et parmi elles, la « Maison rose », ainsi nommée à cause de la couleur des briques pâles de sa façade. La demeure était l'un des points les plus animés, puisque c'était là que, plusieurs fois par semaine, nombre de personnalités venaient s'entretenir avec la maîtresse du logis, qui l'avait achetée en 1851. Depuis, on l'avait surnommée « l'abbaye au Bois de la démocratie », en référence à une autre thébaïde, sous un autre Empire, où une autre dame rassembla chez elle ceux qui contestaient le régime, sans trop de risques toutefois. Car quel « tyran » aurait osé s'en prendre à une femme, au risque d'être ridicule ? Marie elle-même l'a confié à ses souvenirs : « Dans cette habitation charmante, j'eus pendant l'espace de dix années un cercle de famille... Elle nous a laissé à tous des souvenirs si doux que je ne puis me défendre du désir de la faire un moment revivre sous ma plume. Isolée de toute construction, elle recevait en plein la lumière des cieux. Vers le couchant, elle avait en point de vue l'Arc de Triomphe. Un homme de goût, le peintre Jacquand, l'avait construite. Sa façade aux fines arêtes, en style Renaissance, avait, chose rare, du mouvement et de la simplicité. La distribution intérieure était originale et néanmoins commode. Deux ateliers, l'un au rez-de-chaussée, l'autre à l'étage, se transformèrent aisément pour mon usage, l'un en salon, l'autre en bibliothèque. J'ai vu beaucoup d'habitations plus vastes et plus magnifiques, mais aucune qui, dès l'abord, donnât une impression plus harmonieuse. On y entrait par une grille flanquée de deux petits pavillons en brique, entrelacée de lierre, dont les longs festons se balançant avec grâce et discrètement nous protégeaient contre les curiosités extérieures. Un perron de cinq ou six marches, recouvert d'une marquise, donnait accès à l'antichambre d'où, entre les replis d'une épaisse tenture, on apercevait l'escalier, un petit chef-d'œuvre, décoré de caissons bleu, rouge et or sur fond d'ébène, éclairé d'un beau vitrail héraldique... et un petit salon octogone avec, en médaillons, les portraits de grands artistes de la Renaissance italienne, Dante, Giotto, Guido, Léonard, Raphaël. » L'Italie, toujours, dans laquelle Marie avait été si heureuse, ne cessait de hanter son imaginaire !

Ainsi, dans ce décor si caractéristique du goût romantique qui rejetait l'ordre classique au profit du Moyen Âge ou de la Renaissance, Marie avait-elle trouvé pendant quelques années de répit le bonheur d'être enfin chez elle, dans un cadre qui lui convenait, pour recevoir qui elle voulait, le plus souvent assise sur son canapé en égrenant son chapelet d'ambre. Jamais, sans doute, elle n'avait été si éclatante que depuis qu'elle avait abandonné à sa fille Claire son lourd château de Croissy, fui le centre de Paris, siège de toutes les malveillances, et davantage encore le faubourg Saint-Germain et ses habitants dont elle ne voulait définitivement plus entendre parler. La « Maison rose » fut son espace de liberté sous la forme d'un délicieux hôtel d'une Renaissance réinventée par un peintre « troubadour ». Une maison qu'elle décora, autour d'un piano offert par Pleyel, de nombreux livres et de ses portraits par Lehmann. Un immense mais débonnaire terre-neuve gardait la porte, sans pour autant effrayer les invités puisqu'il les saluait avec empressement dès leur arrivée. Bien sûr, prestige oblige, il y avait quand même une gouvernante anglaise, deux femmes de chambre et une cuisinière pour faire tourner la maison. Marie ne s'embarrassait pas plus aujourd'hui qu'hier des basses contingences de la vie quotidienne, n'ayant en tête que les choses de l'esprit. Mais il n'était pas faux d'y déceler une certaine décontraction, bien que toujours de bon ton.

Pour Louis de Ronchaud, « c'était la maison de Socrate, étroite mais élégante, ouverte aux amis de la liberté, et qui semblait faite pour y recevoir un choix d'amis ». Tous savaient qu'au lendemain du coup d'État du 2 décembre 1852, Marie avait caché ici Pierre Leroux, menacé d'arrestation et de déportation. Ce fut, après ses écrits, son brevet de civisme républicain dont les républicains lui surent gré. Désormais, ils se retrouvaient chez elle, à la marge de Paris comme à celle du Second Empire. Les femmes, qui ne pouvaient jouer un rôle politique en un temps où elles n'étaient ni électrices ni éligibles, n'avaient que la possibilité d'ouvrir un salon pour s'imposer au monde politique. Voilà pourquoi Marie tint à avoir le sien, et surtout à ce moment précis de l'histoire où les républicains, qui se voyaient rejetés de la plupart des fonctions officielles, avaient besoin d'un lieu de réunion.

C'est chez elle, pendant dix-huit ans, qu'on attendit avec patience et détermination la chute d'un régime qui, pour prestigieux qu'il fût, n'en était pas moins bien fragile, véritable colosse aux pieds d'argile dont une grande partie de l'intelligentsia sapait consciencieusement les bases dans l'espoir de le déboulonner. On y croisait ainsi Hippolyte Carnot, le fils du grand Lazare de la Révolution, ancien ministre de la IIe République, ainsi que son fils Sadi, appelé à effectuer un jour une brillante carrière. Il y avait aussi l'avocat d'affaires Jules Grévy, que Marie présentait avec une prescience tout à fait étonnante comme le futur président de la République quand la France serait à nouveau une république, ce dont, à la « Maison rose », nul ne doutait. Anatole Prévost-Paradol, brillant jeune homme de lettres qui ne cachait pas sa qualité de fils naturel de Ludovic Halévy, faisait fonction de secrétaire de la maîtresse de maison, avec l'assistance, naturellement, de Louis de Ronchaud, compagnon discret mais présent, attentif et dévoué.

Avec le poète Édouard Grenier, c'étaient les trois piliers de ce salon de haut ton, lui donnant « ce caractère de solidité morale qui contrastait singulièrement avec les salons à la mode, ces salons de l'Empire si futiles où toute chose sérieuse passait pour "embêtante", mot d'argot dont on commençait à abuser », a dit Juliette Lamber, qui en fit longtemps partie et y apprit l'essentiel de ce qu'il fallait savoir pour qu'une femme fût lancée dans les cercles pensants de la capitale. Souvent y venait Ernest Renan, qui bavardait avec Émile Littré, Alexis de Tocqueville ou Jules Michelet, mais aussi les poètes Adam Mickiewicz, Karl Gutzkow et Auguste Lacaussade, le compositeur Meyerbeer, l'universitaire Étienne Vacherot, le romancier Louis Ménard, plongés dans d'interminables controverses avec des journalistes libéraux dont Émile de Girardin, directeur de *La Presse*, Auguste Nefftzer, directeur du *Temps*, Paul de Saint-Victor, Edmond Teixier, ou d'autres écrivains parmi lesquels Maxime du Camp, Léon Laurent-Pichat et Louis Ulbach. Quelques aristocrates s'y pressaient également, comme le marquis de Montcalm ou le baron de Vieil-Castel, et avec eux le diplomate de Bourgoing, le général Delarue, l'historien de Penhoën, Henri Martin, Jules Simon, Dupont-White, Pelletan, Freslon, François Ponsard, Lanfray, Berthelot, Dolphus, Louis Tribert, Guillaume Guizot, le comédien Bocage, Paul Janet, Louis Ratisbonne, sans compter – concession à ses anciennes amours ! – des émigrés hongrois, comme l'écrivain Ladislas Teleki ou le général Klapka.

Quelques femmes, minoritaires certes, étaient présentes, les comtesses de Lützow, Policastro, Lewald et Karolyi, la baronne de Marenholtz, Claire

Carnot, amie et confidente de Marie, Delphine de Girardin, qui allait disparaître en 1855, et aussi une jeune provinciale qu'elle avait prise sous sa protection, la future Juliette Adam, qui témoigna encore : « On y parlait beaucoup de politique, de philosophie, beaucoup d'art, surtout de musique, de lettres, très peu de romans et de théâtre », en somme tout ce qui était caractéristique d'une hôtesse qui aimait à répéter : « J'ai atteint l'âge d'homme. » Nul écho, ici, du « french cancan » d'Offenbach ou des charades débitées aux séries de Compiègne dans ce temple austère de la pensée ! On ne venait pas ici pour rire mais pour échanger des idées entre esprits de bonne compagnie, politiquement progressistes certes, mais avec un ton et des usages qui n'admettaient aucun laisser-aller. Les hommes, du reste, étaient en habit, les femmes en toilette. Personne n'osait lancer une plaisanterie, encore moins une grivoiserie, devant une maîtresse de maison surveillant sa cour de sages comme un président de tribunal, assistée le plus souvent de sa fille Claire qui la secondait avec un peu plus de spontanéité et d'humour, selon les témoins.

« Madame d'Agoult, a écrit Louis de Ronchaud, y tenait le sceptre de la conversation avec une supériorité que tout le monde semblait reconnaître. À cet âge de maturité, sa beauté sévère et à la fois sympathique, la grâce et la dignité de son maintien, sa voix grave et harmonieuse, la justesse et la profondeur de ses réflexions, faisaient sur tous ceux qui l'approchaient une impression inoubliable de grandeur et de charme. Il y avait en elle comme une royauté naturelle à laquelle nul ne refusait l'hommage. Elle pensait que l'amitié doit être cultivée et qu'on n'en doit pas négliger les devoirs. Si elle donnait beaucoup, elle exigeait aussi beaucoup. Elle mettait l'art dans sa vie. Dans ses relations comme dans ses propos, elle mêlait au sérieux le délicat. Sa conversation était naturellement grave, enjouée à l'occasion. La supériorité de son esprit s'y montrait moins par des saillies, qui ne manquaient pas pourtant, que par sa haute raison qui dominait les questions et les éclairait d'un mot. Souvent, elle ne lançait qu'un trait, mais il portait loin et frappait juste. »

Ce fut encore à la « Maison rose » que Marie put loger sa fille Blandine, enfin de retour de Berlin. Celle-ci fut stupéfaite par le luxe de la demeure et le nombre d'habitués fréquentant le salon de sa mère. Hélas ! pour peu de temps puisque, en 1857, la comtesse d'Agoult fut contrainte de quitter sa retraite parce que celle-ci se trouvait comprise au beau milieu d'un territoire dont le préfet Haussmann avait besoin pour aménager ses nouvelles voies de communication. Elle fut donc expropriée, comme tous ses voisins, sans pouvoir bénéficier d'aucun recours, ce qui fut cause de nouveaux reproches contre ce Second Empire abhorré. Non seulement il la privait de liberté, mais de plus il s'en prenait à l'intimité de son domaine. Ce départ provoqua encore des regrets sans fin lorsque son petit domaine disparut sous la pioche des démolisseurs, avec son jardin et ses souvenirs. « Nos foyers s'éteignirent un à un, écrivit-elle, un vent aride s'est levé sur tout ce qui nous liait au passé et semble se jouer de tout ce que voudrait l'avenir. Traditions, souvenirs, habitudes, piété du cœur, le monde serait-il las de vous ? » Une fois de plus, il fallait fuir pour tout recommencer ailleurs. Marie vécut très mal cette épreuve, se fit flouer dans la transaction et perdit même une partie de son mobilier par l'indélicatesse de ceux qui étaient chargés de le mettre à l'abri. Elle n'avait pas de chance, c'était une des constantes de sa vie.

Découragées, la mère et la fille partirent alors en Suisse, l'une des destinations que Marie affectionnait particulièrement. Elles se rendirent ensuite en Italie où, le 22 octobre, Blandine épousa à Florence Émile Ollivier, au terme d'un arrangement prévu par sa mère mais qui, cette fois, avait eu la main plus heureuse qu'avec son autre gendre, Guy de Charnacé. Habitué du salon de la « Maison rose » depuis plusieurs années, ce jeune avocat marseillais, fils d'un farouche opposant à l'Empire exilé en Italie, s'y était fait apprécier de la maîtresse de maison, qui le surnommait « l'arbre de Judée » en raison de son austérité, de ses convictions libérales, de sa grande culture et de son dévouement.

Immédiatement séduit par Blandine dès qu'elle mit le pied dans la « Maison rose », il constata avec plaisir que c'était réciproque. Il fit sa demande, fut agréé et pressa tant l'affaire qu'elle fut conclue avant que Liszt n'eût le temps de lui donner son approbation. Le mariage fut célébré à Florence, dans l'église du Dôme, avec la seule présence de Marie d'Agoult et de Démosthène Ollivier, le père du marié. Hypnotisé par la beauté de sa jeune épouse, Émile Ollivier témoigna dans son journal : « L'heure arrivée, je suis monté pour la prendre. Je l'ai trouvée dans sa robe blanche, son front orné de la couronne d'orangers et du voile. Elle était adorable. » Leur voyage de noces achevé, les tourtereaux rentrèrent à Paris, où la carrière d'Émile, élu député de la Seine, requérait sa présence. Quant à Marie, elle poursuivit son errance pendant de longs mois.

La comtesse d'Agoult ayant « fait » le mariage de Blandine, Liszt se réserva le droit de « faire » celui de Cosima qui, le 18 août, épousa à Berlin le chef d'orchestre Hans von Bülow. Comme Émile Ollivier était allé rendre ses devoirs à son beau-père, à Weimar, ce dernier fit de même en venant présenter ses hommages à sa belle-mère, à Paris, au terme d'une juste répartition des rôles qui fit que les deux sœurs se marièrent la même année à chaque bout de l'Europe, et chacune avec un homme déjà célèbre ! L'une et l'autre paraissaient heureuses, tout était dans l'ordre des choses. Il n'y avait plus qu'à attendre l'arrivée des petits-enfants, qui n'allaient pas tarder. Le bonheur de cette famille séparée était-il enfin complet ? Certainement pas. Des tensions apparurent entre Marie et le ménage Ollivier, et entre Blandine et Cosima, comme toujours pour de sordides querelles d'intérêt, d'argent promis et non versé, de préséances et de rivalités. Mais le pire était à venir et personne ne s'en doutait, à l'heure où Marie et Liszt, une fois de plus, sillonnaient l'Europe chacun de son côté. Durant l'hiver 1859, leur fils Daniel mourut à Vienne, où son père l'avait placé à l'École de droit, bien que sa mère eût préféré pour lui l'École polytechnique.

Aussi beau que son père, aussi doué que sa mère pour les études, Daniel avait tout pour lui. L'intelligence – il avait raflé tous les prix, y compris le prix d'honneur en classe de rhétorique, qui couronnait le meilleur élève des lycées de la capitale –, le talent pour la peinture et la musique, le charme enfin, indéfinissable, qui ne pouvait échoir qu'à ce fruit d'un amour exceptionnel, bien qu'il ne fût proche ni de Marie ni de Franz, les jugeant l'un et l'autre non pas comme des êtres dans leur spécificité, mais comme des parents indignes. Sans doute à juste titre s'était-il toujours considéré comme un enfant délaissé, ballotté de l'appartement de sa grand-mère à celui de l'ancienne gouvernante de la maîtresse de son père, d'un lycée parisien à un collège berlinois, sans recevoir l'amour qu'il attendait de ses géniteurs, un jour occupés à se battre, un autre à se disputer ses deux sœurs aînées, comme si elles seules comptaient. Prévenu des progrès foudroyants de la tuberculose qui frappa son fils et le terrassa en quelques semaines, Liszt n'arriva à Berlin que le 13 décembre pour recevoir son dernier souffle. Il avait vingt ans ! Marie était à Nice lorsqu'elle apprit la nouvelle. Comment réagit-elle ? On l'ignore, ses correspondants ne recevant d'elle que des phrases de convention. En fait, elle se terra, cacha sa douleur au plus profond d'elle-même et continua à fuir le monde, prolongeant ses séjours hors de Paris.

Était-il écrit, comme dans la tragédie antique, qu'aucun des siens ne trouverait jamais le repos et la sérénité ? Marie s'en persuada en apprenant que, à cette même époque, sa fille Claire avait quitté son mari pour suivre son amant, le Dr Eugène Dailly. Que fit Marie ? Elle lui reprocha vigoureusement ce qu'elle-même avait pourtant fait trente ans plus tôt ! Tout semblait se déchirer autour d'elle. C'était une fatalité à laquelle nul ne pouvait échapper.

La vie continua malgré tout. En 1861, enfin de retour de ses longues pérégrinations, Marie reconstitua son salon, d'abord avenue de l'Impératrice [actuelle avenue Foch], où elle venait d'acheter un terrain dans l'idée de faire bâtir une maison semblable à celle qu'elle avait perdue, projet auquel elle renonça bientôt. Ne sachant plus où poser ses malles, elle s'installa quelques mois à l'hôtel *Montaigne*, et enfin dans un appartement de la rue Circulaire, près de l'Étoile [l'actuelle rue de Presbourg], que montre une gravure d'Henri Béraud la représentant au milieu de ses amis dans un décor typique de l'époque, avec le grand cartel de bronze sur la cheminée de marbre, les lampes à gaz sous leurs globes de verre, les doubles rideaux de velours pourpre, le lustre de cristal, le mobilier en poirier noirci à ferrures de bronze doré. C'est là que les anciens accueillirent les plus jeunes, cette nouvelle génération appelée bientôt à mettre en pratique tout ce qui avait germé dans ce véritable

« laboratoire » de la pensée politique. Ainsi, Jules Ferry, Ernest Hamel, Antoine Dréo, Édouard Delprat, Charles Floquet, qui parfois raillaient les « vieilles barbes » les ayant précédés dans ce lieu et que Marie devait parfois remettre au pas en s'écriant : « Quand ce sont les couvées qui entendent morigéner pères et grands-pères, tout est sens dessus dessous ! »

« Ah ! Que la république était belle sous l'Empire ! » allait-on dire quelques années plus tard, en référence à ce temps d'espérance où l'on pouvait refaire le monde en le rêvant. Marie la première qui, au fur et à mesure qu'elle avançait en âge, s'intéressait de plus en plus à la chose publique. Mais la politique n'était pas seulement un dérivatif à ses angoisses. C'était aussi une quête d'absolu inhérente à son évolution intellectuelle : « J'aime la politique. C'est pour moi le plus grand de tous les arts, une architecture avec des matériaux savants. L'homme d'État, l'architecte social, a fait leur place. Il dispose ses matériaux, est obligé de les persuader ou de les contraindre, de se ranger sur l'ordre qu'il a préétabli. »

Chacun reprit donc sa place. Jusqu'en 1870, les échanges continuèrent, la maîtresse de maison et son cercle abordant l'élaboration d'une nouvelle constitution, la rénovation du Parlement, la question de l'éducation des classes populaires, la place des femmes dans le futur dispositif, la liberté d'association, la définition d'une nouvelle diplomatie, les libertés communales ou l'organisation des départements.

Certes, on n'était que dans la théorie, mais les concepts s'affinaient, et le moment venu, croyait-on, on ne serait pas pris au dépourvu. Pourtant, la militante de cette hypothétique république ne pouvait se contenter d'être la seule spectatrice d'un Second Empire vivant ses derniers jours.

Le gendre de Marie, en effet, Émile Ollivier, était devenu grâce au duc de Morny le principal ministre de Napoléon III, dès lors qu'en 1869, l'Empire était devenu libéral. Approuva-t-elle cette sorte de passage chez l'« ennemi » ? Certainement pas, même si elle reconnaissait que les réformes d'Ollivier allaient dans le bon sens. Et que pensait l'empereur, de son côté, de la sourde opposition politique qu'entretenait contre lui la belle-mère de son principal ministre, et qu'il ne pouvait ignorer ? Le « tyran » supposé, en fait, était sans doute l'homme le plus tolérant de son État. Jamais il ne se crut autorisé à faire sur ce sujet la moindre réflexion, laissant Marie libre de ses propos, ainsi que son cousin, le prince Jérôme Napoléon, de s'y mêler, puisqu'il devint un autre habitué du salon où, désormais, on toléra « le Prince rouge ».

L'ouverture du nouveau salon de Marie se doubla toutefois d'un drame, la trahison de sa protégée, Juliette Lamber, qu'elle avait accueillie et formée pendant des années, allant jusqu'à rédiger à son intention un manuel pratique pour l'aider à ouvrir son propre salon, dont les principes témoignaient à eux seuls de son état d'esprit : « Le bonheur n'est fait que de renoncements et de sagesse. Pour grouper des hommes en nombre et quelques femmes intelligentes autour de soi, il faut avoir l'apparence sereine ou heureuse. Il faut unifier sa vie, ne point la compliquer aux yeux des autres, alors même qu'elle serait troublée. Créer une atmosphère impersonnelle et paisible qui repose est nécessaire pour retenir l'amitié autour de soi. Consulter les premiers occupants d'un salon avant d'y laisser pénétrer les suivants, afin qu'il y ait des fondateurs ou qui se croient tels. Éviter les confidences qui, échangées, créent des intimités trop grandes et obligent à donner des conseils qui, à certains jours, vous seront reprochés. Soyez modeste sans vous annuler ! Soyez simple avec élégance. Donnez confiance dans la solidité des opinions que vous exprimez ; qu'on vous sente à la fois inébranlable et tolérante. Faire bien comprendre à ceux qu'on groupe, et le leur prouver, qu'on est plus occupé d'eux que de soi… Il faut vingt amis et cinq amies pour fonder un salon. Vous les avez. Le mien restera le grand salon de l'hiver, le vôtre sera le petit salon de l'été et ainsi, notre milieu intime ne sera jamais entièrement dispersé. »

Comme convenu, Juliette Lamber ouvrit en effet son salon, rue de Rivoli, mais au lieu d'en faire le complément de celui de Marie, elle le posa d'emblée en concurrent direct. Une partie de ses amis, séduits par la beauté et l'esprit de la jeune femme, se mirent à négliger la rue Circulaire au profit du nouveau lieu à la mode, donc de Juliette, qui s'était félicitée devant son ancienne protectrice de la mort de son vieux mari. Elle avait pu enfin épouser son amant, l'homme de lettres Edmond Adam, confia-t-elle en effet à Marie, qui répliqua, sans doute marquée par sa propre histoire : « Le malheur d'être veuve, c'est qu'on a l'envie stupide de se remarier. Une femme qui pense doit rester libre et maîtresse absolue de sa pensée. » De petites phrases rapportées à l'une et à l'autre permirent de souffler sur la braise de cette grande amitié qui tournait à la haine, à laquelle s'ajouta, une fois de plus, George Sand. Juliette avait plusieurs fois demandé à Marie de lui présenter la papesse de la littérature féminine. Marie avait toujours refusé, en la mettant en garde contre celle qui, naguère, fut son amie. Elle passa donc outre et entra directement en contact. Ce fut une révélation pour l'une et pour l'autre, qui ne se quittèrent plus. George la reçut à Nohan, Juliette fit de même à Golfe-Juan, tout en disant le plus grand mal de la marmoréenne comtesse d'Agoult « qui s'occupe trop peu ou trop individuellement de ceux qui la fréquentent ». Le salon de Mme Adam allait devenir le principal cercle de la IIIe République naissante, d'où jaillit bientôt l'astre de 1870, Léon Gambetta.

Malgré la trahison, Marie, à la tête de ce qui pouvait être considéré comme l'écurie de course de la république future – hormis ceux qui la quittèrent pour sa rivale –, rayonnait encore. Ce qui ressort si bien des portraits que prirent à deux ans d'intervalle deux des plus grands photographes de l'époque, Adam Salomon, au mois de décembre 1861, et Nadar, en août 1863. Tous deux ont ainsi offert à la postérité la grande beauté conservée de la comtesse d'Agoult, malgré ses cheveux blancs à demi dissimulés sous une mantille de dentelle, avec son port de tête éminemment aristocratique et, dans ses crinolines de soie, la majesté intacte d'une femme du grand monde et d'une intellectuelle reconnue.

Ces deux témoignages contredisaient les venimeuses remarques que la princesse Belgiojoso adressa à Liszt : « Votre ancienne Béatrix est bien changée, dit-on. Sa chevelure est presque blanche et elle porte un costume semblable à celui d'un capucin », mais confirmaient les impressions de Hans-Frédéric Amiel, qui l'avait rencontrée à Divonne, notant dans son *Journal* : « Première impression agréable et sans surprise avec ce que j'attendais. Grand air Saint-Germain, dignité svelte, cheveux blancs en longs bandeaux surbaissés, robe de moire antique, noire à petits bouquets rouges, l'œil bleu aux longues paupières, le front pensif, le profil aquilin, l'expression méditative et tranquille, mais la bouche douloureuse. En tout la traduction de la vie : l'élégance, l'audace, le regret, la pensée. »

On pourrait à l'infini multiplier les portraits de Marie à cette époque. Contentons-nous de celui de Félix Henneguy, qui s'écria après l'avoir rencontrée dans la rue : « Un jet de lumière rapide comme un éblouissement ! » Ou celui encore de Louis de Ronchaud, toujours sous le charme : « Sa beauté, que ni l'âge ni les chagrins n'avaient pu altérer, frappait d'admiration ceux qui la voyaient pour la première fois. Elle rayonnait sous ses cheveux blancs.

Madame d'Agoult renouvelait, à soixante ans, le miracle qu'on a raconté de Diane de Poitiers et de Ninon de Lenclos, et plus d'un visiteur eût sans peine oublié son âge, si elle-même eût consenti à ne pas s'en souvenir. Mais la gravité de l'entretien l'avertissait que Diotime était tout à la philosophie. Tout en elle était simplicité, dignité, affabilité. Ceux qui ont eu le bonheur de vivre dans son intimité savent que le charme en était incomparable. Shakeaspeare eût dit d'elle qu'elle était douce comme l'été. »

C'est encore cette très belle femme que virent avec admiration, au printemps 1860, le comte Cavour, chef de la diplomatie du nouveau royaume d'Italie, et même le roi Victor-Emmanuel II, qui reçut Daniel Stern en audience particulière pour aborder avec elle les questions politiques du moment, auxquelles elle apporta des réponses qui frappèrent le nouveau souverain d'une péninsule enfin réunifiée par ses soins. Marie, dont une partie du cœur était italien, admira la rare maîtrise intellectuelle de ces deux hommes, quitte à agacer son ami le républicain Joseph Mazzini avec lequel elle entretenait, parmi d'autres, une intense correspondance. Son magnétisme agissait encore, et Marie avait bien raison de dire : « Je conseillerai aux femmes, lorsqu'elles viennent à se demander quel est l'effet des ans sur leur charme, de consulter moins leur miroir que le visage de leurs contemporaines ! »

Et c'est ainsi encore que la revit Liszt, qui, au printemps de l'année suivante, revint à Paris.

Cette rencontre, après dix-neuf ans de séparation, avait été précédée de plusieurs lettres, ni l'un ni l'autre ne sachant trop comment il fallait s'y prendre, avant de se ranger à l'évidence que ce n'était qu'avec la plus grande simplicité qu'il fallait s'y résoudre.

Pendant plusieurs jours, Marie se demanda comment elle allait s'habiller, se coiffer, quelle attitude elle allait devoir adopter. Être distante ou chaleureuse ? Hautaine ou attentionnée ? Tendue ou décontractée ? Élégante ou discrète ? Rendez-vous fut pris le 27 mai à quinze heures, chez elle, dans l'appartement qu'elle occupait alors à l'hôtel *Montaigne*. Depuis le matin, son cœur s'affolait, et d'heure en heure, les tremblements se firent plus vifs. Enfin, il parut, comme elle le consigna dans son journal : « Il a vieilli beaucoup, mais il est resté très beau. Le visage s'est bronzé, l'œil n'a plus sa flamme, mais il est jeune encore d'allure. Ses beaux cheveux tombent en longues mèches plates des deux côtés de son visage noble et attristé. Il cause avec esprit, mais sans naturel aucun, d'une façon qui voudrait être tranchante et sentencieuse. Il me fait l'effet d'un homme riche, de mener une vie élégante, de se trouver à la mode à Paris, d'avoir de belles relations. Mais triste, profondément triste au fond. Il est certainement très joyeux ou plutôt très fier de notre réconciliation. Moi, je le trouve encore bien beau, bien singulier, bien occupant. J'éprouve plus de plaisir à sa présence qu'à toute autre, mais le grand idéal qu'il personnifiait s'est évanoui. Qui m'eût jamais dit que nous nous reverrions ainsi ! »

Un peu gênés au début, ils finirent par trouver un sujet de conversation en abordant les thèmes généraux, leurs voyages, leurs œuvres, mais s'abstinrent de parler de leur histoire et même de leurs enfants. Ils convinrent de se retrouver le surlendemain autour d'un déjeuner et se quittèrent. Bouleversée, Marie mit un certain temps à se remettre de toute l'émotion qu'elle avait éprouvée de revoir le seul homme qu'elle eût jamais aimé, une émotion qu'elle avait cependant réussi à dissimuler, sauf dans son journal où elle consigna : « Depuis cette apparition, je reste occupée de lui. La première nuit, j'ai eu peine à dormir. »

La seconde rencontre fut plus sereine : « Je suis allée à table seule. En revenant, je passe mon bras autour du sien. Il serre ma main avec effusion. Cela est triste et doux ensemble. Cela fait surtout mesurer les petites proportions des choses humaines. Les grandes passions, les grandes douleurs, les grandes ambitions... qui brisent, déchirent... Tout cela finit par un poulet à la portugaise mangé ensemble, en compagnie de quelques gens entièrement étrangers à toute cette longue vie passée. »

Un troisième entretien suivit le samedi : « Il entre sans être annoncé. L'entretien, après des choses générales, arrive aux personnelles. Il dit en parlant de Cosima :

» — J'ai une passion pour elle. Elle vous ressemble.

» — Moi, je trouve que c'est à vous qu'elle ressemble.

» — Vous savez que nous nous ressemblions ! Ce mélange produit quelque chose d'étrange. Vos mauvais éléments et les miens réunis, cela ne fait rien de bon.

» En lui disant adieu, je me lève spontanément et je l'embrasse, très émue. Il l'est aussi, extrêmement, et me quitte en formant une espèce de vœu ou de bénédiction dont j'oublie les termes, mais qui me fait sentir le mystère divin de la vie... Lui parti, je sens le vide autour de moi et je verse des larmes. »

Que restait-il de leur amour ? Durant ces retrouvailles, ils ne furent d'accord sur rien, à commencer par leurs idées politiques. Il admirait Napoléon III, qui, du reste, le recevait toujours très chaleureusement aux Tuileries, il défendait le centralisme autrichien et approuvait le libéralisme économique. Elle militait pour la république, le droit des communes et l'économie sociale. Se comprirent-ils, ou seule leur évidente émotion le fit-elle à leur place ? Dans sa relation de l'événement à Carolyne, Liszt se montra plus dur que Marie : « Nélida ne m'a point revu pour me parler de quoi que ce soit qui aurait pu nous intéresser, mais seulement parce que beaucoup de personnes lui parlaient de moi, de mes petits succès, et même de mes bons mots... Nélida déclara naturellement qu'il n'y avait plus de bon goût ni de bon ton en France. Vous imaginez bien combien toutes ces sornettes étaient de mon goût ! Aussi ne manquai-je pas de lancer une bonne quantité de pierres dans les beaux parterres de sa rhétorique en fleur, soutenant mordicus que notre temps en valait bien un autre... Elle fut frappée de l'isolement volontaire dans lequel je me tins, aussi peut-être de l'étrange conséquence qui se trouve de fait dans ma vie artistique, sans qu'elle s'en soit toujours aperçue, mais qui, en ce moment, semblait flamboyer à ses regards. En m'écoutant parler de moi, elle ressentit je ne sais quelle émotion, et tout son visage se couvrit de larmes. »

Qui mentit dans ces relations contradictoires ? Sans doute un peu les deux. Le temps avait passé sur leur amour, et même s'il en restait toujours quelque chose, une grande pour Marie, une petite pour Franz, aucun des deux n'avait désormais le pouvoir de renouer ce fil d'Ariane qui, jadis, les avait unis. Dans la solitude de la nuit, la comtesse d'Agoult recopia alors sur ses carnets cet extrait de *De l'Allemagne,* de Mme de Staël, dont elle put alors faire sa devise : « Les orages des passions s'apaisent, les plaisirs de l'amour-propre se flétrissent, l'enthousiasme seul est inaltérable. L'âme, elle-même, s'affaisserait dans l'existence physique si quelque chose de fier et d'animé ne l'arrachait pas au vulgaire ascendant de l'égoïsme. Cette dignité morale, à laquelle rien ne saurait porter atteinte, est ce qu'il y a de plus admirable dans le don de l'existence. C'est pour elle que, dans les peines les plus amères, il est encore beau d'avoir vécu, comme il serait beau de mourir. »

La paix à peine conclue, Liszt et Marie n'en avaient pas fini avec les épreuves. Le 11 septembre 1862, leur fille Blandine, la si belle et tendre Blandine, qui, deux mois auparavant, avait mis son fils au monde, s'éteignit à Saint-Tropez d'une fièvre puerpérale, nouveau coup du sort qui laissa Marie atterrée : « Je lui avais donné le plus doux des prénoms, et qui lui allait si bien, Blandine. Elle était caressante, agréable, flatteuse à l'œil et à l'oreille. Son regard, sa voix, son sourire avaient une grâce ineffable. Je ne puis m'arracher à cette douloureuse absorption qu'en me plongeant dans la philosophie. Je lis pendant plusieurs heures avec une sorte de fièvre. Ô ma douce Blandine, comme la mort l'a transfigurée ! Sentira-t-elle, quelque part dans l'infini, comme elle m'était chère et sacrée ? »

Effondrée, Marie écrivit à Juliette Lamber : « Ne venez pas, mon enfant. Je refuse d'être consolée. Le coup est trop violent pour que je n'en reste pas anéantie de longs jours. Vouloir réagir en ce moment est plus cruel que de m'abandonner à mon chagrin. » Dans sa solitude, elle mesura tout le poids des non-dits avec cette enfant, qu'elle avait sans doute plus désirée que les autres mais à qui elle n'avait pas su, par pudeur, donner tout l'amour que celle-ci avait attendu en vain.

Ce nouveau deuil terrible la rapprocha-t-elle de Franz ? Ni l'un ni l'autre n'allèrent aux funérailles de leur fille. Plus tard, ce ne serait que séparément qu'ils iraient se recueillir sur la tombe de cet ange brisé. Ils étaient des parents terribles et condamnés à le rester ! Pourtant, ce fut autour du souvenir de l'ange disparu, le second que le ciel leur avait repris, qu'ils se revirent à nouveau, cette fois chez Émile Ollivier. Une entrevue qui eut lieu le 10 octobre 1864, et que Marie consigna : « Il a dit : “Je vous ai toujours aimée profondément. Depuis trois ans, je vous aime d'une manière un peu moins indigne de vous. Je vis seul, etc.” Il dit qu'il est pauvre, que certaines privations sont dures. Qu'il n'est pas moins contesté à Paris. Qu'il travaille six heures… Parle le langage catholique romain. Semble sévère en morale et fort occupé toujours d'aristocratie. Vieilli depuis deux ans. Beaucoup moins bien, mais plus calme et plus aimant. Très tendre pour Cosima. »

Ce fut la dernière fois qu'ils se virent, Liszt dédaignant à présent la France et elle l'Allemagne, comme s'il était dit que, jusqu'à la fin, leurs destins devaient être contraires.

En cette fin du Second Empire, où Armand Pommier consacra à Marie une première biographie, à l'heure enfin où ses relations avec Franz semblaient s'être normalisées, était-elle heureuse ? Sa neurasthénie chronique ne la lâchait pas et lui inspirait toujours de tristes pensées : « Que faire ? Où aller ? Une crise nerveuse m'a jetée dans les larmes de la déraison. Je marche avec facilité, mais je n'en sens que plus que la vie intellectuelle est à jamais éteinte… Il n'y a pas d'autres activités en moi que celle de l'imagination. Incessamment, je vois passer dans mon souvenir les images de ceux que j'ai aimés, des lieux que j'ai visités, ou bien je me figure les lieux que je voudrais voir, les personnes que je voudrais connaître. "Tout vous a été donné à la naissance, m'a dit tout à l'heure Mme..., naissance, beauté, fortune, intelligence." Qu'en ai-je fait ? Je ne comprends rien à ma destinée. Tantôt, il me semble que je voudrais mourir, tantôt, au contraire, j'éprouve encore comme une forte aspiration vers la vie... Un moyen d'action ! Si les dieux m'envoyaient un moyen d'action, je vivrais, et je répandrais autour de moi la vie. »

Ce moyen d'action, ce fut Liszt qui le trouva, mais il laissa Marie plus désemparée que jamais. Ayant appris qu'il s'était enfin séparé de sa princesse, elle espéra peut-être un temps le reprendre. Mais il lui fit savoir qu'elle ne saurait y songer, qu'il ne lui écrirait plus et qu'il avait enfin trouvé sa voie. Une rivale, encore ? Non, un rival : Dieu lui-même. Liszt le séducteur, l'homme aux conquêtes féminines multiples, au crépuscule de son extraordinaire vie, venait de recevoir à Rome les ordres mineurs et portait désormais la soutane ! « Qu'a-t-il fait de ces vingt-huit années ? se lamenta Marie. Et qu'en ai-je fait ? Il est l'abbé Liszt et je suis Daniel Stern ! Et que de désespoirs, de morts, de larmes, de sanglots, de deuils, entre nous ! » Désormais il était à Dieu, et à sa musique, parce que sa musique servait Dieu, parce qu'elle était l'expression de sa vie : « Mon piano, jusqu'ici, c'est moi, c'est ma parole, c'est ma vie. C'est le dépositaire intime de tout ce qui s'est agité dans mon cerveau aux jours les plus brûlants de ma jeunesse. C'est là qu'ont été tous mes désirs, tous mes rêves, toutes mes joies et toutes mes douleurs. Ses cordes ont frémi sous toutes mes passions, ses touches dociles ont obéi à tous mes caprices. » Tout cela pour parvenir à l'accomplissement de sa devise, qu'elle ne pouvait plus nier à cet instant précis : « Plus que noblesse, génie oblige. »

De toutes les conclusions de leur histoire, qu'elle avait tour à tour redoutées, craintes, rêvées, espérées, provoquées, celle-ci était incontestablement la plus extraordinairement inattendue, celle à laquelle elle ne pouvait répliquer, qu'elle ne saurait contester. Mais au fond d'elle-même, crut-elle que c'était à cause d'elle, ou grâce à elle, qu'il avait pris cette décision ? C'est possible. La dureté de celle-ci, pourtant, ne résidait pas tant dans le fait qu'il appartenait désormais à l'Église, mais qu'il rompait définitivement avec Marie, la renvoyant ainsi dans la nuit de son inconscient, dans l'enfer de ses souffrances intérieures, ce mal-être chronique dans lequel elle replongeait inévitablement dès que ses amis prenaient congé, la laissant seule, plus seule que jamais, en un mot, plus désemparée.

IX

La double vie de l'ange rebelle

Il ne faut pas retourner certaines vertus ;
leurs envers sont plus laids que bien des vices.

Marie D'AGOULT

Le 11 avril 1869, à Passy, un fiacre attelé de deux chevaux pénétra discrètement dans la cour d'un bel hôtel particulier de cette partie de Paris qui conservait encore son allure de village cossu et campagnard. Plusieurs propriétés, du reste, témoignaient encore de cet esprit du XVIIIe siècle dont la société prisait tant les « folies », qui ne signifiaient pas exubérance architecturale, mais au contraire maisons de maîtres perdues dans les feuilles, sous les ombrages. Et celle-ci, plus que les autres sans doute, avec ses façades intactes et son splendide et paisible jardin, avait gardé son charme aristocratique conforme à un passé glorieux. Ne fut-elle pas, jadis, la demeure de Marie-Thérèse de Savoie-Carignan, princesse de Lamballe, la douce et tendre amie de Marie-Antoinette qui avait payé sa fidélité d'une mort atroce au commencement de la Terreur ? Encore une figure féminine mal comprise et mal connue, dans laquelle tant d'autres auraient pu se reconnaître.

Il faisait beau. Le printemps s'avérait prometteur et Paris était calme, comme il l'était depuis de nombreuses années, à l'heure où personne ne pouvait imaginer un seul instant que le Second Empire, puissant, prospère et magnifique, allait moins d'un an plus tard s'effondrer comme un château de cartes.

Deux hommes du monde descendirent de la voiture, puis se retournèrent pour aider galamment à faire de même deux dames élégantes voilées de noir, la première d'âge mûr, la seconde plus jeune, mais toutes deux se ressemblant singulièrement, à l'image de ce qu'elles étaient, une mère et sa fille. En tout autre lieu de Paris, cette apparition eût causé la surprise, l'émotion, voire la stupéfaction, mais ici, c'était monnaie courante et nul ne fit attention au fait que la dame la plus âgée était entravée dans ses mouvements par un curieux vêtement enserrant totalement ses bras, un assemblage dont on évitait de dire le nom à voix haute : une camisole de force. Les deux dames firent alors quelques pas vers le perron central de l'hôtel où, déjà, deux domestiques s'empressaient de prendre les bagages de Madame et de la conduire chez Monsieur le directeur, qui n'allait pas tarder à la recevoir. Et chacun de sourire, de se montrer prévenant, ainsi qu'il sied au personnel d'une clinique, même si, au premier regard, cet intérieur bourgeois, où croissaient les plantes vertes entre les meubles de famille, ne semblait évoquer en rien un établissement de soins.

Ainsi, conduite par son frère, le vicomte de Flavigny, son gendre, le comte de Charnacé, et sa fille Claire, la comtesse d'Agoult venait se mettre sous la protection et l'autorité du fameux Dr Émile Blanche, médecin aliéniste distingué qui, avant et après elle, soigna tant de personnalités au crépuscule du romantisme. Alfred de Vigny, Hector Berlioz, Eugène Delacroix, Alexandre Dumas, Théophile Gautier, Charles Gounod, Édouard Manet, Auguste Renoir, Edgar Degas, la comtesse de Castiglione, Gérard de Nerval, Guy de Maupassant, Léon Halévy, sans compter ceux qui y placèrent leurs proches, Jules Verne et Ernest Renan pour leurs fils, Jules Grévy pour sa sœur, gens illustres dont on commentait les mésaventures dans les salons sans trop oser ironiser. Chacun, au fond, n'était-il pas menacé de faire un jour partie du convoi ?

Tous souffraient, par périodes pour certains, continuellement pour d'autres, de cette mélancolie devant laquelle la science était impuissante, et que la littérature avait baptisée « spleen », mot magnifique entre tous, mais dont l'origine est bien prosaïque. Ce mot anglais ne signifie-t-il pas « rate », cet organe considéré comme le siège de tous les maux de l'âme ou de l'esprit ? De Chateaubriand à Baudelaire, quel créateur n'était pas passé par ces longues périodes neurasthéniques, qu'on n'appelait pas encore « dépression nerveuse » mais seulement

« mélancolie » ? En tout cas, elles hantèrent l'œuvre des poètes, des romanciers, des peintres, des musiciens et des acteurs, ceux qui avaient mis en avant leur personnalité, et par-là même avaient violé leur âme pour quelque profit de gloire. Marie comme les autres, depuis longtemps, trop longtemps sans doute, ne parvenait plus à contrôler ce mal de vivre qui la rongeait depuis son plus jeune âge et s'était singulièrement accru avec les épreuves de sa vie. La mort de son père, celle de sa fille Louise, le suicide de sa demi-sœur et celui de son neveu, la rupture avec Liszt, la mort de son fils Daniel et celle de sa fille Blandine constituèrent en effet autant de chocs émotionnels successifs, que son extrême sensibilité et son habitude de tout noircir avaient alimentés, cimentés renforcés.

Les crises, les fameuses crises qui la minèrent tout au long de sa vie, étaient devenues avec l'âge de plus en plus intenses. En 1850, Marie évoquait déjà dans son journal « sa tristesse extrême, son affaiblissement mental, sa mélancolie infinie », pour reprendre ses propres termes. Mais c'était sans compter des attaques plus graves qu'elle décrivit ainsi dans une lettre à Adolphe Pictet : « Perte graduelle ou troubles du sommeil, perte de l'appétit, engourdissement, fatigue extrême, dégoût puis incapacité au travail, agitation nerveuse pendant laquelle je sors entièrement de mon caractère, devenant colère, prompte à dire aux gens des choses blessantes, remplie de terreurs de toutes sortes, hantée par le démon du suicide… » Toute sa vie, elle avait souffert de ces troubles, comme d'autres membres de sa famille. Une maladie probablement héréditaire, Marie le savait, et elle l'avait admis comme une donnée consubstantielle de sa destinée, même si, naturellement, elle ne pouvait contenir les crises lorsqu'elles survenaient à l'improviste. Déjà, jeune mariée, n'avait-elle pas tenté de se jeter d'une paroi, dans les Alpes, ce jour où Charles d'Agoult l'avait retenue de justesse ? Sans doute cela expliquait-il aussi en partie l'extrême tolérance dont il fit preuve avec elle, se disant qu'en cas de rechute, elle eût pu mettre fin à ses jours, ce dont il ne voulut jamais être responsable.

« Qu'est-ce que le spleen ? écrivit-elle une autre fois, en tentant de trouver des explications rationnelles propres à une intellectuelle ne cédant pas aux préjugés. Comment vient-il ? Faut-il voir en lui un mouvement du sang qui se retire du cerveau ou qui y afflue en trop grande quantité ? Mais qui cause ce mouvement ? » Parfois, elle se réveillait en pleine nuit après d'éprouvants cauchemars. Parfois, l'après-midi, elle se mettait à pleurer sans raison en portant son beau regard sur la foule parisienne qui lui semblait si heureusement vivante quand elle n'était, elle, qu'une statue abandonnée dans l'ombre sépulcrale de sa demeure. Elle se sentait devenir « la proie de l'hébétude et de l'imbécillité » et n'avait plus goût à rien, pas même à sa passion pour l'écriture. « La vue d'un encrier me fait horreur et le grincement de la plume sur le papier me donne la fièvre. » Toujours, elle songeait à la mort, tout en étant littéralement obsédée par l'idée qu'on pouvait la disséquer vivante !

Parfois, elle se faisait conduire au pont de Suresnes et renvoyait subitement son cocher. Hébétée, elle errait des heures durant dans les rues jusqu'à ce qu'une âme compatissante la raccompagnât chez elle. Elle pouvait rester prostrée des journées entières, refusant de s'alimenter et de parler. Il arriva que des bruits insolites sortissent de son appartement, meubles renversés, objets jetés contre les vitres, dont on eut quelque écho par une lettre de Claire à Cosima : « Maman ne sortait de la stupeur que pour jeter un cri ou mettre la tête en avant pour heurter du front quelque chose ou quelqu'un. » Les voisins se plaignirent. Il fallait en finir avant que cela ne devînt dangereux, ou, pire, songea la famille, compromettant dans le monde. Son frère Maurice, toujours pressé par sa femme, qui peut-être caressa ainsi le rêve de se débarrasser à tout jamais d'une aussi encombrante belle-sœur, lui suggéra alors de lui faire suivre une cure chez le Dr Blanche. À l'étonnement général, Marie accepta. L'affaire devait demeurer secrète, mais comme tout se sait toujours, nombreux en furent informés, à commencer par George Sand, qui annonça dans une lettre à son fils, et peut-être avec sincérité : « Mme d'Agoult est chez le Dr Blanche, folle furieuse. Cela me fait très mal. »

Le certificat d'internement délivré par le Dr Cerise précisait que son illustre patiente souffrait « de surexcitation nerveuse et d'un trouble mental ». Ce diagnostic fut bientôt confirmé par le Dr Blanche, qui ajouta : « Accès d'excitation maniaque hystérique, qui la rend dangereuse pour elle-même et pour autrui. » Le mot « hystérie » était à la mode, surtout lorsqu'il s'agissait des femmes – on n'allait l'appliquer à l'homme que bien plus tard ! –, d'autant qu'il venait du terme « utérus », considéré comme le siège du problème comportemental, à moins que ce ne fût l'encéphale, comme l'affirmaient certains praticiens. On lui imputait plus ou moins scientifiquement tous les maux féminins, ceux-là mêmes qui, au Moyen Âge, étaient appliqués aux sorcières. Ceux-là mêmes que les Goncourt, Zola, Maupassant, Flaubert et quelques autres croyaient toujours voir chez les femmes parce que, au fond d'eux-mêmes, ils en avaient si peur. Certes, sous Napoléon III, les bûchers n'existaient plus, mais les déments étaient encore considérés comme des coupables qu'il fallait punir, et non pas soigner. Ce qui expliquait d'ailleurs les épouvantables traitements dont ils faisaient l'objet – camisoles de force, douches froides et mise au cachot ! –, pratiqués sans contrôle à Sainte-Anne ou à Charenton, lieux atroces dans lesquels les familles les moins fortunées faisaient enfermer leurs membres, n'ayant comme seule ressource que de prier pour eux, tel Victor Hugo qui avait dû y conduire son frère, et y emmènerait bientôt sa fille.

Mais lorsqu'il s'agissait de personnes du monde, on montrait plus d'égards, et c'est ce créneau que le Dr Blanche, en digne successeur de son père, avait choisi, accueillant ses patients chez lui, en famille, et tentant, avant Charcot et Freud – qui allaient s'inspirer de ses méthodes –, de répondre à leur détresse mentale et parfois physique. Certes, cela coûtait cher, très cher même, mais il obtenait des résultats. Parfois, il renvoyait les malades chez eux. Pour certains, il conservait même des relations d'amitié qui pouvaient durer jusqu'à la mort. Il reçut Marie avec égard et attention, l'interrogea et l'examina avec soin, jusqu'à détecter chez elle « une persistance du délire mélancolique hypocondriaque, une agitation maniaque moindre et des intervalles de lucidité complète ». Son cas n'était donc pas désespéré et il pourrait bientôt le résoudre, après que son confrère, le Dr Nélaton, aurait pratiqué chez sa patiente l'opération d'un anthrax au menton, suivie d'une autre pour ôter un abcès au sein, opération extrêmement délicate mais qui réussit pleinement.

Dans les deux mois qui suivirent, selon le Dr Blanche, l'état de Marie s'améliora, le calme revint dans son esprit et l'autorisation de sortir lui fut accordée. Une nouvelle fois, Marie se réfugia chez Louis de Ronchaud dans son château franc-comtois, où elle mena à l'abri des regards une convalescence paisible, cachant au monde sa cicatrice au menton mais évitant surtout la société parisienne par des explications embarrassées. Quel brave paysan, croisant cette grande et impressionnante dame arpentant la campagne, aurait pu se douter que Daniel Stern en personne venait ici panser les plaies de son âme, à l'ombre des sapinières ? Là, Marie se sentait rassurée parce qu'elle savait qu'ils ne la jugeaient pas. Elle finit par reprendre confiance en elle-même, ce dont elle avait le plus besoin, ce qui était le plus nécessaire à sa vie.

Fut-elle véritablement guérie de ses vieux démons ? Certainement pas, car le spleen n'allait plus la lâcher jusqu'à la fin de ses jours, mais d'une manière peut-être moins pathologique, plus diffuse, en un mot moins violente. Le vieux fond dépressif demeura. Marie apprit, sinon à le dominer, tout au moins à le maîtriser. Lorsque les crises revenaient, elle s'enfermait dans un asile sûr et attendait patiemment qu'elles disparaissent. Particulièrement reconnaissante des soins prodigués par Émile Blanche, Marie allait demeurer à son contact, l'invitant régulièrement chez elle à déjeuner. En cette même année 1869, elle fit aussi le siège de son gendre, devenu ministre de la Justice et des Cultes, pour que lui fût octroyée la croix d'officier de la Légion d'honneur. C'est encore à lui que, en 1873, elle allait faire part de ses réflexions sur l'évolution politique de la France. Et lorsqu'il prit sa retraite, elle institua le rituel de l'avoir à sa table le 25 décembre, comme le montre cette invitation datée de 1875 : « Mon cher ami, je m'y prends à l'avance et je vous retiens à dîner pour le jour de Noël. Nous mangerons, par l'art de mon petit cuisinier provençal, une bouillabaisse tout ce qu'il y a de plus chic. » Enfin, elle ne manqua pas de suivre avec intérêt la carrière du fils de son ami le Dr Blanche, le peintre Jacques-Émile Blanche, futur portraitiste de la Belle Époque, qui reçut à plusieurs reprises ses confidences et qu'elle présenta à Cosima, laquelle le reçut par la suite en Allemagne avec son second mari, Richard Wagner, dans une intimité que le couple n'accordait pas à tout le monde.

Guérie, ou tout au moins convaincue de l'être, Marie reprit le cours de son existence travailleuse et vagabonde, partageant sa vie entre ses écrits et la tenue de son salon où, le 3 avril 1870, elle donna une soirée en hommage à François Ponsard. Elle reprit aussi ses innombrables voyages dans lesquels elle continuait à fuir, non pas seulement le choléra, dont elle avait une peur morbide, mais son mal d'être que la contemplation de la mer ou de la montagne, ses deux destinations de prédilection, calmait pour quelque temps. Sa double vie s'organisa désormais entre des périodes de prostration et des périodes de suractivité, alternant avec une régularité métronomique. À chaque nouvelle crise, Louis de Ronchaud la prenait totalement en charge. Il la cachait dans le Jura en tâchant de calmer de son mieux ses terreurs et en rassurant sa famille, avant de la raccompagner à Paris dès qu'elle allait mieux, ne demandant rien en échange que la simple reconnaissance d'une amitié pure et désintéressée, ce que, du reste, elle savait lui offrir. Encore que, ne sachant parfois plus où se fixer, elle lui proposa un jour qu'ils vivent ensemble, ce que le vieux garçon, amoureux, certes, mais habitué à son petit confort douillet, refusa, tant peut-être pour se préserver que pour ne pas provoquer un scandale supplémentaire qui se serait ajouté aux autres.

Lorsqu'il n'était pas disponible, il la confiait aux soins de Louis Tribert, qui prenait alors le relais sur ses terres des Deux-Sèvres, sachant lui aussi apaiser les craintes de Claire, à qui il adressait des sortes de bulletins, tel celui-ci, rédigé après une crise assez intense : « Elle a passé le reste de la journée fort calme, assise sur un banc dans la cour. J'ai pu, pour la première fois depuis quinze jours, lui lire quelques passages de journaux qui ont paru l'intéresser. Après le dîner, nous avons joué une partie de dominos. » Le calme revenu, ils partaient tous les deux pour telle ou telle destination, tout là-haut, aux Pays-Bas, par exemple.

Pour Marie, Louis, qu'elle avait baptisé « Lorenzo », lui servait de fils de substitution, de secrétaire intime et de conseiller aulique. Il apprit beaucoup d'elle et sut se souvenir de ses enseignements lorsqu'il devint sur ses vieux jours un austère sénateur de la IIIe République ! En attendant, c'était la silhouette de ce couple insolite que les pêcheurs hollandais regardaient avec étonnement se promener sur leur grève. Marie appréciait cette « nature énigmatique où tout est douceur et lenteur, avec ses contours ondoyants, ces surfaces planes comme des miroirs, éclairées d'une lumière argentée, ses molles prairies enveloppées de vapeurs blanchâtres, ces eaux dormantes où se reflète un ciel nuageux », et dans laquelle elle retrouvait probablement l'image de son âme.

Mais l'évolution de sa santé mentale n'était pas son seul souci. Sa grande fortune, compromise par les dépenses considérables qui assuraient son train de vie, ses toilettes et ses voyages, de même certains mauvais placements opérés par son gendre Charnacé, avait fini, sinon par disparaître totalement, du moins par fondre dangereusement. Certes, cela, comme beaucoup d'autres choses, lui était totalement indifférent, mais il fallait bien vivre, payer ses domestiques, recevoir à peu près correctement et assurer la vie de tous les jours. À court de liquidités, Marie dut vendre la plupart de ses bijoux, taper Ronchaud et Tribert, qui surent se montrer généreux, et déménager dans un appartement plus modeste, situé 38, rue Malesherbes [l'actuelle rue du Général-Foy], qui ne lui coûta rien puisque son frère, propriétaire de l'immeuble, l'y avait installée. Elle lui en fut reconnaissante et cela l'apaisa. « Aujourd'hui que, sans son aide, je n'aurais pas littéralement de quoi vivre, il apporte dans nos relations une bonne grâce et une solidarité charmantes », écrivit-elle à sa benjamine, Cosima. Mais ce n'était pas tout ! Il lui fallait encore trouver les 40 000 francs de dot promis à Blandine, que lui réclamait à présent Émile Ollivier, et les autres 40 000 francs promis à Cosima, ce à quoi elle finit par parvenir après bien des difficultés, encore que, dans le second cas, ce fût *post mortem*. À demi folle et ruinée, la comtesse d'Agoult allait connaître une fin de vie matérielle difficile dont seule la mort pourrait la délivrer, une fin qu'elle commença à organiser en préparant l'édition de ses œuvres complètes, en rédigeant ses dernières volontés, et en essayant de faire le point avec les siens, échouant toutefois à devenir enfin la mère et la grand-mère idéale qu'elle ne fut jamais.

Ainsi commença-t-elle à s'intéresser à ses petits-enfants, dont les aînés, à cette époque, quittaient l'enfance. Ainsi, Daniel de Charnacé qui, en 1870, achevait l'école navale de Brest pour commencer une carrière d'officier de marine. Ou Daniel Ollivier, dont la belle-mère, Marie-Thérèse Gravier, avait repris en main une éducation négligée dès lors qu'Émile Ollivier se fut remarié avec elle, union que Marie accepta, allant jusqu'à recevoir chez elle et avec amitié celle qui avait remplacée Blandine. Consciente de ses torts, la comtesse d'Agoult ne blâma pas Cosima qui, réitérant le même geste qu'elle, avait quitté Hans von Bülow, à qui elle avait donné deux filles, pour le compositeur Wagner, à qui elle allait donner trois enfants, deux filles et un garçon, exactement comme sa mère avec Liszt et dans le même ordre. Contrairement à ce qu'elle avait fait avec Claire, Marie sut cette fois se taire, d'autant qu'une différence de taille entre elle et sa fille allait bientôt clore l'histoire de ce nouveau couple de passion, le divorce de Cosima et son remariage avec Richard, le 25 août de cette même année, à Lucerne. L'histoire se répétait. Claire avait oublié son comte de mari pour filer le parfait amour avec son médecin. Cosima avait quitté son baron de mari pour un artiste. Que pouvait dire celle qui, jadis, avait abandonné son comte d'époux pour suivre un pianiste à la beauté du diable ? « Sommes-nous donc toutes folles de mère en fille ? » se demandait Marie en songeant encore à sa demi-sœur et à sa mère.

Les problèmes de famille étaient certes préoccupants, mais moindres, au fond, que ceux que connaissait la France, en guerre depuis le mois de juillet avec la Prusse, avec les terribles conséquences que ce conflit absurde allaient bientôt entraîner, la débâcle des armées, la chute de Napoléon III, la Commune. Marie se vit ainsi frappée par au moins deux aspects de la conjoncture. Le déchirement de ces deux nations et de ces deux cultures était aussi le sien, elle qui toute sa vie se considéra comme « allemande et française par le sang, par la nourriture du corps et de l'esprit ». Le renversement, le 9 août, du gouvernement présidé par son gendre, lâché tant par les bonapartistes que par les républicains et désormais considéré par tous comme le bouc émissaire de tous les problèmes qui l'avaient contraint à s'exiler en Italie, la perturba. Bien qu'elle approuvât l'unification de l'Allemagne et celle de l'Italie, ce qui était politiquement justifiable à ses yeux, en son for intérieur elle choisit de n'être désormais que française, au vu des exactions de l'armée prussienne et surtout de l'aliénation, inqualifiable selon elle, de l'Alsace et de la Lorraine. « Germanie, j'ai honte de toi, écrivit-elle, avec la singulière prescience d'une autre guerre, parce que, plongée dans une erreur si profonde, tu fais parade d'une fausse grandeur et que, ivre de la grâce de Dieu, tu sembles avoir oublié le droit humain. » Phrase prophétique d'un avenir dans lequel le spectre des nazis se profilait déjà, annonçant d'autres exactions encore plus terribles, celle des camps de la mort !

Sans doute Marie eut-elle à cette époque la satisfaction de voir que, dans sa propre famille, les vertus de l'humanisme ne furent pas oubliées. Son frère, en effet, ami et admirateur d'Henri Dunant, le fondateur de la Croix-Rouge, resta à Paris, alors qu'un état-major prussien occupait le Mortier, pour diriger personnellement les secours dans la capitale assiégée, et ce dans le cadre de la Société internationale de secours aux blessés militaires, créée en France en application de la convention de Genève de 1864. Le conflit achevé, il se donna même le luxe de refuser la cravate de commandeur de la Légion d'honneur que Thiers lui proposa, au motif que beaucoup d'autres, qui n'avaient pas été récompensés, la méritaient autant que lui. Épuisé par la tâche, il contracta le choléra et en mourut, le 9 octobre 1873, laissant trois filles, la marquise de La Grange, la vicomtesse Artus de La Panouse, la comtesse Simart de Pitray, et un fils, Emmanuel, poursuivant à Tours, où il créa les premières ambulances de la Gare et de Belmont, les mêmes actions humanitaires que celles de son père à Paris. Préfet de la République en 1872, puis diplomate, ce dernier allait, entre autres, servir en qualité d'attaché d'ambassade en Asie, d'où il rapporta au Mortier une importante collection d'art extrême-oriental. Dernier de sa lignée, il s'éteignit sans postérité en 1887, onze ans après sa tante Marie.

Plus que beaucoup, nul doute que Marie souffrit d'une telle conjoncture, qui n'améliora pas son équilibre mental, ce que traduisirent les tristes réflexions qu'elle consigna dans ses lettres lorsque la Commune fut proclamée à Paris. Singulière révolution qu'elle ne comprit pas, comme du reste la plupart de ses contemporains, y compris les républicains, la contraignant comme d'autres à fuir la capitale pour se réfugier dans le Jura, où Louis de Ronchaud lui offrit avec joie l'hospitalité de son château. Ce fut là que, mélancoliquement, elle confia à son journal ses tristes pensées : « Avons-nous réellement mérité un si effroyable châtiment ? Sommes-nous, avec tous les peuples latins, condamnés à périr pour la plus grande gloire de la race germanique ? » Une telle clairvoyance en disait long sur celle qui connaissait parfaitement les philosophes allemands mais ne retrouvait plus son éthique dans cette succession de malheurs où guerre militaire, guerre civile et répression de la guerre civile n'engendraient qu'abominations, horreurs et misère. Marie n'en reprit pas moins espoir en concluant ses propos par cet authentique cri d'espoir : « La France républicaine, pacifique en son cœur et en son esprit, ne combat plus que pour l'indépendance et l'intégrité de la patrie. Bien aveugle entre les peuples celui qui ne ferait pas des vœux pour elle ! Bien téméraire entre les princes celui qui croirait pouvoir impunément fouler aux pieds une nation toute frémissante encore, de vie et d'honneur ! »

C'est pourtant en Allemagne qu'elle se rendit, au printemps 1871, mais à titre privé. Elle passa quelques jours chez les Wagner, à Tribschen, pour embrasser ses trois nouveaux petits-enfants, dont les noms évoquaient l'œuvre de leur père : Isolde, Eva et Siegfried. Dans l'ambiance somptueuse et feutrée de leur villa, elle arriva, souveraine, en calèche découverte, cultivant plus que jamais ses airs de « grande dame » pour impressionner le maître des lieux qui, pour génial qu'il fût, n'était pas de son monde. Elle tenta de s'imposer, mais aussi de dialoguer. Élaborant sur son piano la plus énigmatique, la plus mystérieuse et la plus onirique des œuvres musicales qu'on eût jamais entendue jusque-là, Wagner fut respectueux mais distant. Quant à Cosima, elle réamorça le dialogue avec une mère qui lui avait préféré Blandine – et elle le savait ! – mais qui, reconnaissante au ciel d'avoir au moins épargné un des enfants de son grand amour, ne la jugea pas et fut parfaite de tact. On évita de parler de la guerre – Wagner détestait la France ! – et des sujets qui fâchaient en demeurant au-dessus du quotidien des hommes, au niveau de l'art absolu dont Marie reconnut que Wagner, malgré son caractère difficile, était un acteur incontestable. Nul ne pouvait être parfait ! On se sépara en promettant de se revoir ; personne ne pouvait imaginer que c'était leur dernière rencontre.

Après ces quelques semaines, Marie regagna la France pour suivre de près le travail de l'Assemblée de 1871 qui, après s'être réunie à Bordeaux, avait pris ses quartiers à Versailles, ne voulant pas être confrontée à Paris qui, avec la Commune, avait donné le plus déplorable des exemples révolutionnaires. Au moins, de cette gigantesque épreuve que fut l'écrasante défaite, était enfin née cette république que Marie avait tant appelée de ses vœux, elle et ses amis ! C'est dire si, rue Malesherbes, toute l'équipe se retrouva pour commenter, avec plus de passion que jamais, la situation politique, quoique celle-ci ne satisfît pas leurs aspirations. Avec la chute de Thiers, l'Assemblée s'engagea en effet dans une voie aristocratique et réactionnaire, dans l'attente d'une hypothétique restauration de la monarchie, sous l'égide du comte de Chambord. Ce dernier combat avait-il été inutile ? C'est ce que Marie pensait alors, et beaucoup avec elle. Tant d'énergie pour rien ! La vie n'était-elle qu'une suite de déceptions toujours recommencées ?

Alerte, malgré ses soixante-dix ans passés, elle voyagea encore, à Blois, Nantes et aux Sables-d'Olonne en septembre 1871, à Puyraveau en avril 1873, en Bretagne à l'automne 1874, puis commença à ralentir ses activités. Elle entra dans cette difficile voie du retour sur soi et des petites douleurs articulaires, des vieux papiers froissés et des photos jaunies, lui faisant à présent classer les autographes des célébrités qu'elle avait côtoyées sa vie durant, et tenter aussi de récupérer l'ensemble des lettres qu'elle avait adressées à George Sand. Elle lui écrivit à cet effet, mais reçut en réponse l'annonce qu'elle les avait brûlées, ce qui était faux. Dernier mensonge pour un dernier contact. Il était dit que, jusqu'au bout, leurs relations devaient être ambiguës. Marie acheva alors ses derniers textes, son étude sur *Dante et Goethe*, dans laquelle elle traça un parallèle original entre ces deux génies, ses chroniques dans *Le Temps*, en particulier son étude sur sa consœur Ackermann, sa *Réponse à une lettre écrite de Heidelberg*, dans laquelle elle tirait les leçons de la guerre et, une fois de plus, affirmait sa foi dans la Nation : « Dans sa beauté tragique, en lutte avec le destin à l'heure suprême, la France crie vers nous. Elle souffre, elle expie, elle combat. Elle va périr si nous n'accourons tous pour souffrir, pour expier, pour combattre avec elle, si tous nous ne donnons pour elle nos biens, nos vies et jusqu'à la mémoire de nos noms ! »

Son existence se conjuguait désormais au passé, mais toujours dans la continuité de cette étrange double vie, cousue de contradictions, de ruptures, d'oppositions, de refus, qui lui firent écrire un an avant sa mort cet ultime témoignage de sa compréhension d'elle-même et des autres, comme une psychanalyse véritablement réussie : « Ce qui a fait, je crois, le principal attrait de mes livres, c'est qu'on y sent deux éléments quelquefois en lutte mais qui, le plus souvent, se confondent et produisent une harmonie étrange, indéfinissable : le sentiment féminin des choses avec leur analyse virile, la pénétration germanique avec la clarté française, l'enthousiasme, l'enchantement, la passion, le mouvement oratoire avec la réserve, la grâce discrète et comme l'air serein par-delà la région des orages... La vie est un privilège. Au sein de l'immensité, tout y aspire. Mais, selon l'adage fameux, s'il est beaucoup d'appelés, peu sont élus. Puis, dans l'univers des élus, sur la vaste scène du monde, tout encore n'est que privilège, inégale distribution, apparente injustice, disgrâce ou faveur divine... Cette souffrance fut la mienne : dans mon intelligence la soif de tout connaître, dans mon cœur l'impérieux besoin d'aimer. Ces deux passions innées, auxquelles des facultés et des dons peu communs semblaient promettre une satisfaction entière, et qui, dans leur libre essor, eussent porté mon âme aux plus sereines hauteurs de la vie, n'ont été, dans un milieu qui leur était contraire, en lutte avec des circonstances opposées, qu'une force perturbatrice. Elles ont été, en moi et autour de moi, une cause de trouble. Elles m'ont jetée hors de la loi, en révolte contre l'opinion, contre tout ce que les hommes de mon temps et de mon pays tenaient pour certain, nécessaire et sacré. »

Tout à la fois féminine et masculine, avant que Freud ne développât cette contradiction – et que Wagner n'écrivît de son côté au palais Vendramin, à Venise, cet essai révolutionnaire, *Le Féminin dans l'homme* –, sensible et dure, inspirée et réaliste, passionnée et froide, artiste et intellectuelle, aristocrate et républicaine, française et allemande, folle et lucide, Marie d'Agoult ne sut sans doute jamais qui elle fut vraiment. Ce doute permanent fit précisément l'intérêt de sa personnalité profonde et donna à sa vie un sel que ne connut point celle de la plupart des femmes de son temps. Excepté quelques-unes – Marie Dorval, Rachel, Delphine de Girardin, George Sand, Flora Tristan, Eugénie Niboyet, Élisa Lemonnier, Jeanne Deroin, Pauline Roland, Louise Michel –, qui durent se contenter d'une condition difficile à l'ombre des hommes, quelle que fût la classe sociale à laquelle elles appartenaient. En quittant son mari, la comtesse d'Agoult sut s'affranchir des préjugés de son temps. En quittant Liszt, elle put conquérir sa liberté, quel que fût le prix à payer. Cela constitue sans doute le vrai courage, celui de s'assumer, ce qu'elle fit en devenant Daniel Stern.

« On ne naît pas femme, on le devient », allait un jour écrire Simone de Beauvoir. Comme Marie d'Agoult illustre bien cette remarque, qui n'est en rien une boutade mais une profonde méditation sur la nature intrinsèque de la femme ! Que serait aujourd'hui Marie d'Agoult ? Un professeur à la Sorbonne, un recteur-chancelier de l'Université de Paris, un ministre de la Culture ou de l'Éducation nationale, un député, un sénateur, un écrivain reconnu ? Nul ne peut le savoir, mais il est incontestable qu'elle aurait fait son chemin envers et contre tout, cependant plus aidée qu'en un temps où les femmes ne pouvaient être que des épouses, des mères, ou des objets de plaisir.

Cela, bien sûr, ne l'aurait pas empêchée d'aimer, quoique, contrairement à d'autres, elle n'eût aimé qu'un seul homme, ce qui était aussi une manière de s'affirmer, d'être différente. Ange et rebelle, telle elle commença, telle elle finit son existence. Parfois incomprise, mais toujours au-delà de la médiocrité. Dans la solitude et la méditation, mais dans la liberté de ceux qui ont choisi leur destin au lieu de le subir. Libre, infiniment libre, à l'image de ces grands oiseaux dont le vol ininterrompu plane au-dessus des hommes, témoins de leurs rêves secrets et de leurs réflexions infinies. Quel dommage, au fond, que Liszt, qui sut si bien transcrire la transcendance dans sa musique, n'eût fait de même en cherchant à comprendre son exceptionnelle compagne au lieu de la juger. Mais peut-être aussi que les êtres exceptionnels sont condamnés à l'avance à ne pouvoir s'entendre ! L'amour les prit tout entiers, la haine les sépara. Mais ils finirent peut-être par se comprendre avec le temps, parce que justement ils n'étaient plus ensemble et que seul demeurait le souvenir de leur magnifique histoire. Et comment ne pas aimer cet être particulier qui fut sans doute plus doué pour l'amitié que pour l'amour, comme elle le reconnut elle-même au crépuscule de sa vie, à l'orée de sa fin, sans pouvoir répondre à cette question récurrente qu'elle se posa jusqu'à son dernier jour : « Où vais-je ? Que suis-je venue chercher ici ? »

X

La mort d'Isolde

La mémoire que je garde à Madame d'Agoult
est un secret de douleur. Je le confie à Dieu,
en le priant d'accorder paix et lumière
à l'âme de la mère de mes trois enfants chéris.

Franz LISZT

À Paris, en ce printemps de l'année 1876, rue Malesherbes, dans ce quartier proche du centre nerveux de la capitale, les passants vaquaient à leurs occupations habituelles. Les dames retroussaient leurs longues jupes pour éviter que la pluie ne les souillât, tandis que dans leurs uniformes, les adolescents couraient pour gagner leurs lycées, croisant les employés des ministères et les ouvriers en casquette qui se dirigeaient vers leurs chantiers, chacun tendant d'éviter les fiacres, les charrettes et les omnibus à chevaux circulant dans un joyeux désordre. Six ans après la Commune, le Paris de la IIIe République, qui avait, dans un délai exceptionnel, fait disparaître les traces des incendies tragiques de 1870, semblait revivre à travers les tableaux d'Henri Béraud. La capitale avait retrouvé au fil des années son lustre de phare de l'Europe, dont les salons, les théâtres, les cafés, les grands magasins, les Expositions universelles et le spectacle des boulevards attiraient à nouveau les lords, les grands-ducs, les milliardaires sud-américains venus se distraire avec les lorettes et les grisettes, les artistes et les écrivains, dans une fête permanente qui annonçait cette « Belle Époque » prête à se donner au monde entier.

Le maréchal de Mac-Mahon présidait aux destinées d'une république encore bien jeune, dont une grande partie de la classe politique attendait encore le retour du roi, mais les républicains, en ce même mois de mars, venaient de progresser aux élections, ce qui permit à Jules Dufaure de devenir président du Conseil. Avec lui, la gauche radicale se préparait à prendre le contrôle total de l'État, qui allait être effectif trois ans plus tard. Une page était en train de se tourner en politique avec la naissance des suffragettes, premier mouvement féministe de France, comme en littérature, avec la publication de *L'Après-midi d'un faune* de Mallarmé auquel la critique ne comprit rien, l'opinion publique encore moins, qui ne saisit pas davantage à quoi pouvait servir cette nouvelle invention que, outre-Atlantique, un certain Graham Bell était en train de mettre au point : le téléphone ! Le temps était à la science et au progrès. La nation avait digéré son passé et songeait à son avenir, fait de scolarité obligatoire, de puissance industrielle et militaire, de conquêtes coloniales et de revanche sur l'Allemagne.

Mais dans cet appartement de la rue Malesherbes, où ne résonnaient ni cris d'enfants ni romance sentimentale au piano, l'ambiance semblait davantage être celle d'une sorte de temple de l'étude et du silence, un tombeau des regrets perdus, un sépulcre de fin de vie. Seules les deux femmes de chambre qui servaient Madame y mettaient un peu d'animation, et encore, avec discrétion et sans bruit, comme on le leur avait recommandé. C'est que l'année 1876 avait bien mal commencée. À la neurasthénie chronique de Madame s'était ajoutée une inquiétante fluxion de poitrine qui ne lui laissait aucun répit. Fiévreuse et fatiguée de tousser, elle avait fini par s'aliter au mois de janvier et gisait, sépulcrale et livide, sur ses oreillers de dentelle, anéantie sous une courtepointe de soie mordorée. Seul l'éclat de ses grands yeux bleus donnait encore un peu de vie à ce long corps amaigri et épuisé qui commençait à faire peur aux rares visiteurs se hasardant dans ce lieu où la mort rôdait comme un voleur. À l'exception du fidélissime Louis de Ronchaud, chef du dernier carré de la garde prétorienne des dévoués à leur idole, et qui, chaque après-midi, venait s'asseoir près d'elle et lui tenait la main, comme jadis Chateaubriand avec Juliette Récamier lorsqu'elle aussi était devenue aveugle et mourante. Autre Philémon, autre Beaucis, au crépuscule d'une autre histoire, pudique et platonique mais néanmoins intense.

Fantomatique, la comtesse Marie d'Agoult, ou mieux, Daniel Stern pour ses amis et ses lecteurs, attendait, résignée, la fin de ses tourments, dans la compagnie amère de ses souvenirs. Trop de disparus la hantaient pour qu'elle songeât à se battre pour survivre : son fils Daniel, emporté au crépuscule de l'adolescence, sa fille Blandine, que le destin lui avait trop tôt ravie, son neveu, tragiquement emporté à Athènes, son frère, le vicomte de Flavigny, et même celui qui, jusqu'à la fin, était resté son mari respectueux, le comte Charles d'Agoult. Lui qui jamais ne s'était plaint de tout le mal qu'elle lui avait pourtant fait endurer, et qui avait fini par partir lui aussi il y avait à peine quelques mois, dans sa solitude de vieux militaire, conduit au cimetière du Montparnasse par ses officiers, où il s'en alla retrouver sa fille disparue si jeune, *leur* fille, dont la mort, peut-être, avait précipité la fuite de Marie avec Liszt.

Quant aux amis, beaucoup avaient disparu, qu'elle ne pouvait plus réunir à sa table ou dans son salon pour échanger des idées, parler politique et littérature. À quoi bon tenir ? Le terme approchait, l'heure du bilan allait sonner. Là-haut, Dieu l'attendait peut-être, et sans doute aussi Goethe qui, un jour, l'avait prise dans ses bras quand elle n'avait que dix ans. C'était si loin et si près à la fois ! La vie avait passé comme un songe, avait-elle confié à Louis de Ronchaud, se moquant avec lui de leurs cheveux blancs et de leur surdité, comme ces fantômes du « grand parc solitaire et glacé » de ce jeune poète à la mode dont ils avaient entendu parler, Paul Verlaine.

Et nos amours
Faut-il qu'il m'en souvienne
La joie venait toujours après la peine

Cette présence, pour autant, ne l'empêchait pas de se sentir toujours aussi seule qu'elle l'avait toujours été. Très jeune, elle avait compris qu'elle n'était pas comme les autres. Cela sans doute expliquait pourquoi elle n'avait su être ni une épouse, ni une mère, ni même une grand-mère pour toutes ces têtes blondes en qui coulaient son sang et celui de Liszt. Au dernier instant de sa vie, pensa-t-elle encore à ce seul homme qu'elle eût totalement aimé, puis haï, avant de faire la paix sur le tard, mais sans doute plus avec elle-même qu'avec lui ? « Franz, pourquoi m'as-tu abandonnée ! » Bien sûr, elle ne pensa qu'à lui ! N'avait-elle pas rédigé pour Louis de Ronchaud cette sorte de testament spirituel qui devait liquider l'histoire de son unique amour : « Entendez-vous un jour avec Cosima pour qu'elle tâche d'obtenir à Weimar et ailleurs, parmi les siens et ses amis, que l'on détruise tout ce qui serait de nature à rappeler nos dissentiments à son père et à moi. Je voudrais que ce grand amour auquel elle doit la vie fût respecté et honoré après ma mort, par ceux qui l'ont méconnu ou calomnié, moi vivante. » Qui pouvait encore nier après cela que, jusqu'à son dernier souffle, Marie eût aimé Franz ? La fine Hortense Allart l'avait noté : « Elle a su aimer et n'a jamais pu, infidèle ou blessée, se détacher de cette tendresse et de cette volupté de jeunesse. » Et Marie elle-même, quelques jours plus tard, se laissa aller à écrire cette phrase, qui résume si bien tout : « Ah ! Si vous m'aviez mieux aimée... »

Personne ne peut, à l'heure où la vie se dénoue, refaire le chemin en sens inverse. Marie pas plus qu'une autre, qui sentit que, peu à peu, une sorte de brume enveloppait sa conscience, apaisait ses douleurs et l'isolait de ce monde dont elle ne percevait plus les vibrations. Sa respiration se mit à faiblir, l'esprit semblait se dégager de son corps et rejoignait déjà l'éther, la région de la connaissance suprême, le monde invisible. Il était midi, ce 6 mars, lorsqu'elle rendit son âme à Dieu, sans un mot, sans un cri, dans le silence d'une journée blafarde. En disparaissant d'un monde auquel elle ne tenait plus – mais l'avait-elle jamais véritablement aimé ? –, l'ange rebelle rejoignait les limbes, chers à l'éthique romantique de Delacroix et Lehmann, sans compter ceux de Milton et de son *Paradis perdu* qu'on goûtait tant à l'époque.

Tout était fini. C'était si simple... dans l'ordre naturel des choses. Entourée de quatre cierges à la flamme un peu irréelle, la très belle Isolde, enfin apaisée, reposait, immobile et sereine, dans le silence d'une chambre presque anonyme où des messieurs sérieux en redingote noire vinrent bientôt s'incliner silencieusement, avant de serrer fraternellement la main de Louis de Ronchaud, maître des cérémonies et dernier témoin d'une histoire oubliée. La presse en rendit compte sans excès, insistant davantage sur la considération dont jouissait Daniel Stern dans le cercle des élites intellectuelles de la nation, tel *Le Temps* du lendemain, sous la plume de Schérer qui, après avoir souligné ses qualités « de penseur et d'écrivain », ajouta « le souvenir ému et reconnaissant de l'amitié dont elle l'honorait ».

Peu importait à Marie ce qui allait advenir de son enveloppe charnelle qu'on déposa, le 7 mars suivant, au cimetière du Père-Lachaise, sous le regard des proches, Louis de Ronchaud, Jules Grévy, Louis Tribert, Émile de Girardin, Ernest Havé, Alfred Mézières, Charles Blanc, Henri Martin, Ernest Renan, Victor Schoelcher et Louis de Vieil-Castel, acteurs ou spectateurs de cette IIIe République qu'elle avait tant appelée de ses vœux et dont elle venait de prendre congé après l'avoir tenue sur les fonts baptismaux de la pensée laïque. Le pasteur Fontanes, de l'Église protestante, officia à la requête de la défunte qui, malgré la liberté de sa pensée et celle de sa vie, n'avait jamais renié les principes du christianisme. C'est là qu'elle repose depuis, sous un vaste, lourd et officiel monument conçu par le sculpteur Henri Chapu, orné de la figure de la Pensée sortant de ses voiles comme l'aurore sort de la nuit, symbole de l'esprit toujours en éveil, et d'un buste qui n'est pas celui de Liszt mais de Goethe, ce dieu tutélaire qui, croyait-elle, avait veillé sur elle tout au long de sa vie.

Chacun, depuis, y va en pèlerinage pour se souvenir soit de Marie d'Agoult soit de Daniel Stern, selon ses convictions, sa sensibilité ou ses centres d'intérêt, sous les ombrages de ce havre de paix préservé du bruit et de la fureur de Paris. C'est là que Louis de Ronchaud venait souvent s'asseoir l'après-midi, un bouquet de lys à la main qu'il déposait religieusement à chacun de ses passages, l'entretenant peut-être du projet qu'il caressait de rééditer ses *Esquisses morales*, ce qu'il fit effectivement quatre ans plus tard en y insérant une longue étude sur celle qui fut le rayon de soleil de sa vie :

« Sous l'attitude réservée de son haut esprit, sous la fierté et la dignité de ses manières, vivait et brûlait une âme passionnée, battait un cœur dont sa raison, si droite et si inflexible dans ses jugements, ne parvenaient pas toujours à dompter les mouvements impétueux. Son talent était la vraie expression de sa nature. Son génie, grave et mesuré, avait des ardeurs profondes, des élans soudains, des mots révélateurs d'une saisissante beauté. Comme écrivain, sa forme est exquise. Le style souple et nerveux, d'une noblesse et d'une pureté irréprochables, a des familiarités inattendues, des grâces vives qui surprennent et charment. Il y a aussi des femmes représentatives. Par sa vie, par son talent, par le contraste d'un esprit viril avec des instincts féminins, d'une naissance et de goûts aristocratiques avec des opinions démocratiques, par ses aspirations, par ses souffrances, Madame d'Agoult est une des figures les plus sympathiques et les plus expressives d'un temps qui finit et qui préparait l'époque où nous entrons. Qu'il soit permis à quelqu'un qui l'a beaucoup aimée, et qui a vécu quarante ans près d'elle, de rendre à son esprit et à son cœur, à son caractère et à sa vie, au charme inexprimable de son amitié, l'hommage qu'attend de lui cette noble et chère mémoire. »

Isolde était partie, mais ce n'était pas Tristan qui la pleurait. L'hommage en valut-il moins ? Ce n'est pas certain. L'amour prend souvent de multiples visages pour s'exprimer, la fidélité de Ronchaud fut plus forte que l'inconstance de Liszt !

Épilogue

L'amour et la bonté de cœur
m'ont toujours paru préférable à la fantaisie,
mais je n'entends rien à la vie.
Pourquoi m'avez-vous empêchée de mourir ?

Marie D'AGOULT

C'est par voie de presse, à l'exception naturellement de Claire qui, aux yeux du droit français demeurait son unique enfant, que la famille de Marie d'Agoult apprit la nouvelle. De sa thébaïde, Liszt lâcha en public une épitaphe officielle, puis, en privé, une phrase beaucoup plus assassine : « À moins d'hypocrisie, je ne saurais la pleurer davantage après son décès que de son vivant. La Rochefoucauld a bien dit que l'hypocrisie est un hommage rendu à la vertu, mais il est permis de préférer les vrais hommes aux faux, excepté à certains moments d'extase, dont elle n'a pu supporter le souvenir plus tard. Du reste, à mon âge, les condoléances ne sont pas moins embarrassantes que les félicitations. » Une telle muflerie avait-elle pour but de cacher la pudeur et, avec elle, à défaut des regrets, la nostalgie ? C'est probable, car il paraissait bien difficile de croire que Liszt n'eût rien éprouvé à l'annonce d'une telle nouvelle, lui qui, jusqu'au bout de sa destinée, n'avait jamais manqué ni de profondeur ni de noblesse d'âme.

On ne sait si Émile Ollivier et Cosima versèrent beaucoup de larmes, le premier s'étant fortement détaché de sa belle-mère pendant ses dernières années, la seconde étant bien occupée par sa propre famille et l'œuvre de son mari. Mais ils furent tous deux couchés sur son testament pour diverses sommes qu'elle leur avait promises de son vivant, en accord avec Claire qui, elle, hérita de l'ensemble de la fortune de la défunte. Louis de Ronchaud, certes définitivement désespéré, mais aussi libéré de la charge que Marie fut aussi pour lui, reçut papiers, manuscrits, cahiers et agendas et, avec Louis Tribert, la bibliothèque et le mobilier de leur muse tant aimée, trésor plus sentimental que réel qu'ils allèrent placer comme des reliques dans leurs domaines respectifs.

En fait, à l'exception de ses portraits et de ses livres, c'est tout ce qu'il reste d'elle, puisque l'hôtel du quai Malaquais n'existe plus qu'en partie, qu'a disparu la Maison rose du quartier de l'Étoile, emportée par les aléas de l'urbanisme de la capitale, de même que le château de Croissy que firent sottement sauter les Allemands après l'avoir occupé durant la Seconde Guerre mondiale, un comble, puisque Marie était à moitié allemande !

Un hôtel, cependant, porte aujourd'hui le nom de Marie d'Agoult, au château d'Arpaillargues, près d'Uzès, dans le Gard, naguère propriété de sa belle-famille, et dans laquelle elle avait fait un séjour lors de son voyage de noces, site à l'époque perdu dans une contrée lointaine et misérable, aujourd'hui étape charmante d'une région touristique hautement prisée. Faut-il le conseiller à tous ceux dont le cœur vibre à l'unisson ? Nous laisserons le lecteur libre de s'y rendre en lui faisant remarquer cependant qu'aucune rue de Paris ne porte le nom de Marie d'Agoult ou de Daniel Stern. Et pourtant, mieux que d'autres, Marie a loyalement servi le romantisme, la république et la cause des femmes, avant qu'on s'empresse de l'oublier, sans doute parce qu'elle était une femme et que, pour certains, il est évident, ainsi que l'a préconisé certain concile, que les femmes n'ont pas d'âme ! Mais n'en est-il pas de même de George Sand, dont la France étonnée apprit la mort, survenue trois mois après celle de Marie d'Agoult, le 8 juin de cette même année 1876 ? Ont-elles repris leurs conversations dans l'au-delà, après s'être définitivement réconciliées, cette fois-ci sur le dos de Liszt ?

Marie partit trop tôt pour assister, comme à la représentation d'une tragédie antique, à la flamboyante saga de sa descendance aussi prolifique que créatrice, à l'image de sa liaison avec Liszt, comme s'il était dit que, jusqu'au bout, rien ne fut médiocre dans cette histoire, tant du côté français que du côté allemand, puisque ce fut dans ces deux nations, bientôt opposées par deux terribles conflits, que se répartirent ses cinq enfants, ses huit petits-enfants et toute leur descendance jusqu'à nos jours.

Sa fille aînée, Claire, mariée au marquis Guy de Charnacé à qui elle avait donné un fils, Daniel, en 1851, se sépara de son mari en 1867 pour mener une vie aussi libre et aussi créatrice que celle de sa mère, à qui du reste elle ressemblait tant, donnant de nombreux articles dans la *Gazette des Beaux-Arts* sous le pseudonyme de C. de Sault. Jusqu'à sa mort, survenue le 3 juillet 1912, après qu'elle eut vu grandir ses trois petits-enfants, Foulques, né en 1862, Claude, née en en 1883, et Bertrand, né en 1885, à l'origine d'une nombreuse progéniture, tout comme leur cousine Blandine, née en 1894, la fille de Daniel Ollivier, ou le fils de l'aînée des enfants de Liszt si tôt disparue, qui, en 1927, préfaça la publication des mémoires de sa grand-mère.

Si Daniel Liszt, prématurément emporté en 1859, ne put vivre un destin qui, sans doute, n'eût été en rien banal, sa sœur Cosima, elle, entra dans l'histoire en abandonnant, comme sa mère son mari, le chef d'orchestre Hans von Bülow, ancien élève de son père, à qui elle avait également donné deux filles, Daniela et Blandine, respectivement nées en 1860 et 1863, pour suivre un autre musicien, Richard Wagner, à qui elle donna trois autres enfants – illégitimes puisqu'elle n'avait pas encore divorcé d'avec Bülow –, Isolde, née en 1865, Eva, née en 1867, et Siegfried, né en 1869, avant de l'épouser enfin, le 25 août 1870, à Lucerne. Extraordinaire fusion que celle du sang de Marie d'Agoult et de Franz Liszt avec celui de l'autre enchanteur du siècle, comme une synthèse parfaite du romantisme, mais qui se fit, là encore, sur fond de scandale, et même de bannissement pour Wagner, chassé de Munich pour adultère et s'attirant le mépris d'un roi qui l'aimait plus que tout, horrifié de voir qu'il l'avait trahi... pour une femme.

Mais le plus étonnant dans cette histoire reste que non seulement Cosima et Richard parvinrent à atteindre la perfection de l'art, mais encore à faire de leur vie un chef-d'œuvre absolu et un chef-d'œuvre de l'amour, que symbolise si bien l'aubade *Siegfried-Idyll* qu'il avait écrite pour elle. Et ce que personne ne comprit à l'époque – pas même Marie et Franz, alors trop occupés à se déchirer –, c'est que Cosima et Wagner réussirent précisément ce que Marie et Liszt ne parvinrent pas à réaliser : aller jusqu'au bout de leur histoire, jusqu'à ce moment où le maître, après avoir achevé à Bayreuth ses derniers chefs-d'œuvre, *Le Crépuscule des dieux*, *L'Anneau du Nibelung* et *Parsifal,* put enfin s'exclamer : « Tout est accompli ! »

Mais il est vrai encore que, contrairement à sa mère, Cosima – que ses parents avaient surnommée « la fille électrique » – s'effaça totalement devant son dieu qu'elle servit avec un zèle de vestale, protégeant et entourant l'œuvre et son auteur d'une passion farouche, volontaire et inquiète, le libérant des soucis matériels de la vie et le secondant activement dans l'édification du tabernacle de sa légende, Bayreuth, dont elle devint la grande prêtresse, aussi redoutée que redoutable. Fut-ce pour assumer cette mission que, dès sa liaison avec Wagner, elle prit ses distances tant avec sa mère qu'avec son père ? Sans doute. Mais elle n'en fut que plus effondrée lorsque, le 13 février 1883, Wagner succomba à une crise cardiaque à Venise. En ce jour, la gondole ne transporta pas seulement le cercueil d'un compositeur fondamentalement génial, mais encore l'âme d'une œuvre à nulle autre semblable, et plus encore l'extrême limite d'un amour parfait. Terrassée, Cosima manqua alors de se suicider, puis, se ressaisissant, accepta de continuer à vivre pour ses enfants et pour entretenir la mémoire du maître auquel elle survécut... quarante-sept années. Elle s'éteignit le 1er avril 1930 à l'âge mémorable de quatre-vingt-treize ans, quatre mois avant la propre fin de son fils Siegfried qui, après elle, avait repris la direction du festival de Bayreuth. Enfin, elle avait retrouvé Richard dans l'intemporalité du jardin de la Villa Wahnfried, laissant son petit-fils Wieland poursuivre leur œuvre.

Entre-temps partit à son tour le dernier protagoniste de cette histoire, Franz Liszt, qui mourut le 31 juillet 1886, à Bayreuth, à l'âge de soixante-quinze ans. Eut-il une dernière pensée pour Marie ? Sans doute, bien que, jusqu'à sa propre fin, il ne lui pardonnât jamais de l'avoir trahie en publiant – et avec tant d'acrimonie ! – leur aventure. Il se contenta donc d'une formule un peu sèche sur le respect qu'il portait à la mère de ses enfants. De toute manière, la distance qu'il avait établie entre elle et lui allait demeurer par-delà la mort, puisque c'est à Bayreuth qu'il fut inhumé, bien loin du Père-

Lachaise. Si Tristan et Iseult demeurèrent unis dans la mort, Marie et Franz, eux, furent ainsi à jamais séparés, bien que la dernière chose que Liszt fît avant de s'éteindre fut d'assister, la veille de sa mort, à la première de *Tristan et Isolde*. Peut-être y revit-il ses jeunes années quand, dans le salon de la marquise Le Vayer, il sentit l'intense regard porté sur lui d'une jeune comtesse parisienne qui, instantanément, était tombée amoureuse de lui. Avec Liszt finissait enfin cette authentique et unique histoire d'amour à la croisée de l'Europe, de la musique et de la littérature, qui demeure tout à la fois un exemple dans l'extase et, dans la rupture, un contre-exemple, comme si, pour une fois, le sentiment du classicisme et celui du romantisme s'étaient unis pour le meilleur et pour le pire.

Du reste, n'est-ce pas par un pastiche de La Fontaine que Marie d'Agoult voulut que ses lecteurs en conservassent le souvenir ? Poète à ses heures, elle inséra en effet une de ses œuvres dans ses *Esquisses morales*, à laquelle personne, jusqu'à ce livre, ne prêta une grande attention, sauf peut-être sa fille Claire, à qui elle le dédia. Quelle erreur ! Car c'était bien là qu'il fallait chercher la clé de son histoire, sous cet hommage discret et intime qu'elle voulut rendre à l'un des plus grands maîtres de la langue française, avec un titre malicieusement révélateur prouvant qu'elle maîtrisait autant l'humour que l'introspection : « La carpe et le lapin ». Sous les couleurs de l'incomparable fabuliste, est-ce sa propre fin qu'elle mit en scène ? Et avec quelle élégance détachée, alliant la légèreté à la tragédie, tira-t-elle sa révérence, laissant gambader dans les prairies de la postérité le lapin-Franz, qui ne sut pas voir en poursuivant sa course que la carpe-Marie était, elle, parvenue, au terme de sa vie :

Comment vous conter une fable
À vous qui de la vérité
Faites votre divinité.
Et qui la contemplez dans son charme ineffable
Au sommet par elle habité ?
Je crains que ma témérité
N'incline votre esprit affable
Vers un peu de sévérité.
Cependant voici mon excuse :
Votre mère est ici, comme toujours, ma muse ;
Je lui dois le sujet qu'en rimes j'ai traité.
Elle-même l'a racontée
Certains soirs, à la Maison-Rose.
Heureux si je n'ai pas gâté,
En la mettant en vers, sa prose !
Échappée en se débattant
Des filets d'un pêcheur, sur l'herbe de la rive,
Une carpe gisait plaintive.
Près d'expirer à chaque instant,
Elle accusait la destinée.
Bien d'autres, à sa place, en eussent fait autant ;
Vous-même, auriez-vous eu l'âme plus résignée ?
Quelqu'un s'en étonna pourtant,
Et ce fut Jean Lapin. Comme il allait sautant
À travers la prairie ornée
De mille fleurs, il s'approche et il entend
La plainte de la carpe, et d'un ton important,
Débite à cette infortunée
Ce discours comme on en fait tant :

De quoi vous plaignez-vous, et quelle fantaisie
Vous fait maudire le destin
Quand vous avez ici doux repos et festin
D'herbe tendre, de fleurs au parfum d'ambroisie
Sous le rayon du matin ?
Lieu charmant ! Volupté choisie !
En vérité je vous le dis,
Ce rivage est le paradis.
Ma commère, cessez une plainte importune,
Imitez-moi : voyez quel plaisir est le mien,
Et connaissez par moi votre bonne fortune.

La carpe ne repartit rien,
Non faute de raison, comme on le pense bien.
Or, comme elle expirait muette,
Certain passant pour elle en ces mots répondit :
Maître lapin, c'est fort bien dit
Pour un lapin, mais la pauvrette
Était carpe ; ce fut son tort,
Et c'est la cause de sa mort.

Hommes, cette histoire est la nôtre ;
À chaque être son élément !
À chaque âme son aliment !
Ce qui fait vivre l'un fait souvent mourir l'autre.

Commencé sur le lac de Côme,
Pâques 2003.
Achevé en Touraine, au Château du Mortier,
en mémoire de Jacques Saint Bris,

le 7 décembre 2006.

Repères chronologiques

1805

Naissance à Francfort-sur-le-Main (Allemagne) de Marie Catherine Sophie de Flavigny, troisième enfant du vicomte Alexandre de Flavigny et de la comtesse, née Marie Elisabeth Bethmann (30 décembre).

1809

Installation de la famille de Flavigny au château du Mortier, près de Tours.

1815

Séjour de Marie de Flavigny à Francfort, où elle est présentée à Goethe (l'été).

1819

Mort du vicomte Alexandre de Flavigny au château du Mortier (8 octobre).

1820

Nouveau séjour de Marie de Flavigny à Francfort (l'été).

1821-1822

Marie de Flavigny achève son éducation au pensionnat des dames du Sacré-Cœur à Paris.

1827

Mariage à Paris de Marie de Flavigny avec le comte Charles-Louis d'Agoult (16 mai).

1828

Naissance à Paris de Louise Marie Thérèse d'Agoult (15 juin).

1830

Naissance à Paris de Claire Christine d'Agoult (10 août).

1832

Voyage du comte et de la comtesse d'Agoult en Suisse, où Marie tente de se suicider (printemps). Suicide de sa demi-sœur Augusta, qui se jette dans le Main à Francfort (17 avril). À Paris, chez la marquise Le Vayer (décembre), Marie d'Agoult rencontre Liszt.

1833

Marie d'Agoult achète le château de Croissy-en-Brie, ancienne propriété des Colbert, où elle reçoit Liszt (18 avril).

1834

Marie d'Agoult rend une visite secrète à la voyante Mlle Lenormand (23 juin). Mort de Louise d'Agoult à l'âge de quatre ans (12 décembre).

1835

Marie d'Agoult retrouve Liszt à Bâle (fin mai).

Marie d'Agoult et Liszt s'installent à Genève (28 juillet).

Naissance à Genève de Blandine Liszt, future Mme Émile Ollivier (18 décembre).

Premier article publié par Marie d'Agoult (19 décembre).

1836

Séjour à Chamonix de Marie d'Agoult, Liszt et George Sand (septembre).

Arrivée de Franz Liszt et Marie d'Agoult à Paris (16 octobre).

Marie d'Agoult tient un salon commun avec George Sand à l'*Hôtel de France* (l'hiver).

1837

Séjour de Marie d'Agoult chez George Sand à Nohant, où Liszt les rejoint (printemps).

Séjour de Marie d'Agoult et Liszt à Bourges puis à Lyon, avec étape chez Lamartine au château de Saint-Point, suivi d'un retour à Genève (l'été).

Départ de Genève pour l'Italie (20 août).

Naissance à Bellagio de Cosima Liszt (24 décembre).

1838

Séjour à Milan (janvier).
Séjour à Venise (mars-juin).
Séjour à Ravenne puis à Gênes (juillet).
Séjour à Côme (août).
Séjour à Milan (septembre).
Séjour à Florence (décembre).

1839

Séjour à Pise (janvier).
Installation à Rome (février).
Naissance à Rome de Daniel Liszt (9 mai).
Séjour à Lucques (juin).
Séjour à Pise (septembre).
Embarquement de Marie d'Agoult et ses filles pour la France à Livourne (23 octobre).
Installation à Paris, rue Neuve-des-Mathurins (décembre).

1840

Retrouvailles de Marie d'Agoult et de Liszt en France (avril).

Séjour en Angleterre (juin).
Séjour en Belgique (juillet).
Séjour en Allemagne et en Hollande (août).
Séjour en Île-de-France (octobre).
Séparation à Calais (15 novembre).

1841

Retrouvailles de Marie d'Agoult et de Liszt à Boulogne (5 mai).
Séjour en Angleterre (juin).
Séjour en Allemagne (septembre-novembre).

1842

Premiers textes publiés par Daniel Stern, suivis de nombre d'autres jusqu'à la mort de Marie d'Agoult (janvier).
Séjour en Allemagne (juin-août).
Publication de *Hervé* (décembre).

1843

Publication de *Julien* (février).
Brève visite de Liszt à Marie d'Agoult à Paris (16-18 décembre).

1844

Après une dispute violente, rupture définitive entre Marie d'Agoult et Liszt (15 mai).
Séjour au château du Mortier (mai-août).

1845

Mort à Athènes de Léon Ehrmann, neveu de Marie d'Agoult (10 décembre).

1846

Visite de Liszt à Marie d'Agoult à Paris (janvier).
Marie s'installe au 16, rue Plumet, à Paris (octobre).
Publication de *Nélida*.

1847

Mort d'Élisabeth de Flavigny, mère de Marie d'Agoult (28 janvier).
Séjour de Marie d'Agoult en Normandie et en Bretagne (septembre-octobre).
Publication de l'*Essai sur la liberté*.

1849

Mariage à Paris de Claire d'Agoult avec le comte Guy de Charnacé (28 mai).
Publication des *Esquisses morales*.

1850

Daniel Stern publie son *Histoire de la révolution de 1848*.
Naissance à Paris de Charles-Henri de Charnacé, petit-fils de Marie d'Agoult (12 mai).
Séjour à Jersey (septembre).

1851

Marie d'Agoult achète la Maison rose, dans le quartier de l'Étoile, à Paris (12 mars).
Naissance à Croissy de Guy Daniel de Charnacé, petit-fils de Marie d'Agoult (12 août).

1852

Séjour aux Pays-Bas (août-septembre).

1853

Séjour en Auvergne et en Provence (août-octobre).

1854

Séjour à Bordeaux (mai).
Séjour à Trouville (août).
Séjour au Pays basque (octobre).

1855

Séjour aux Pays-Bas (septembre).

1856

Séjour en Bretagne (juillet-août).

1857

Mariage à Berlin de Cosima Liszt avec le baron Hans von Bülow, chef d'orchestre (18 août).

Séjour en Italie (août-novembre). Mariage à Florence de Blandine Liszt avec Émile Ollivier, avocat, futur député et futur ministre (22 octobre). Publication de *Jeanne d'Arc*.

1858

Séjour en Suisse (juillet-août).

Le *Jacques Cœur* de Daniel Stern est reçu par la Comédie-Française (20 octobre).

Mort de Daniel Liszt à Berlin (13 décembre).

1859

Séjour à Nice (septembre-décembre).

La Maison rose ayant été rasée, Marie s'installe avenue de l'Impératrice, puis à l'hôtel *Montaigne* et enfin rue Circulaire (octobre).

1860

Séjour en Italie, où Marie d'Agoult est reçu par Cavour et par le roi Victor-Emmanuel II (avril-juin).

Séjour dans les Alpes (juin-septembre).

Naissance à Berlin de Daniela, fille de Cosima Liszt et de Hans von Bülow, petite-fille de Marie d'Agoult (12 octobre).

1861

Visites de Liszt à Marie d'Agoult (27, 31 mai et 8 juin).

1862

Séjour en Bretagne (septembre).

Naissance, à Géménos, de Daniel Ollivier, petit-fils de Marie d'Agoult (3 juillet).

Mort de Blandine Ollivier à Saint-Tropez (11 septembre).

1863

Naissance à Berlin de Blandine von Bülow, petite-fille de Marie d'Agoult (29 mars).

Nadar photographie Marie d'Agoult (11 août).

Séjour en Suisse et en Italie (septembre).

1864

Séjour en Allemagne (août-septembre).

Rencontre de Marie d'Agoult et de Liszt chez Émile Ollivier (10 octobre).

1865

Naissance à Munich d'Isolde Wagner, petite-fille de Marie d'Agoult (10 avril).

Séjour de Marie d'Agoult sur le Rhin (juillet).

1867

Naissance à Tribschen d'Eva Wagner, petite-fille de Marie d'Agoult (17 février).

1868

Grave maladie de Marie d'Agoult (avril-mai).
Séjour en Provence (octobre).

1869

Séjour à la clinique du Dr Blanche (avril-mai).
Naissance à Tribschen de Siegfried Wagner, petit-fils de Marie d'Agoult (6 juin).
Installation de Marie d'Agoult rue Malesherbes (1er septembre).

1870

Mariage à Lucerne de Cosima Liszt et de Richard Wagner (25 août).

1871

Séjour chez les Wagner à Tribschen (avril).

Séjour en Touraine, à Nantes et aux Sables-d'Olonne (septembre).

1872

Publication de l'*Histoire des commencements de la République aux Pays-Bas*.

1873

Mort à Paris d'Alexandre de Flavigny, frère de Marie d'Agoult (9 octobre).

1875

Mort à Paris du comte Charles-Louis d'Agoult (16 mars).

1876

Mort à Paris de Marie d'Agoult (5 mars).

Bibliographie

Comme il se doit, Marie d'Agoult et Franz Liszt ont inspiré une abondante littérature dont il n'a pas paru utile de donner ici les références, dans la mesure où elles pourraient faire l'objet d'un volume à elles seules. Citons cependant les principaux ouvrages ayant inspiré ce texte, qui, malgré ses libertés de style, repose sur l'authenticité des témoignages de l'époque, à commencer par les propres œuvres de Marie d'Agoult elle-même, à savoir *Nélida* (réédition Calmann-Lévy, 1987) et ses *Mémoires 1833-1854* (Calmann-Lévy, 1927, accompagnée d'une présentation de Daniel Ollivier, ouvrage réédité en 1990, au Mercure de France, en deux volumes présentés et annotés par Charles Dupêchez), auxquelles il faut ajouter l'indispensable *Correspondance de Franz Liszt et de Marie d'Agoult*, présentée et annotée par Serge Gut et Jacqueline Bellas (Fayard, 2001).

Pour Marie d'Agoult, ont été consultés, Claude Aragonnès, *Marie d'Agoult, une destinée romantique* (Hachette, 1938-1983), Dominique Desanti, *Daniel, ou le Visage secret d'une comtesse romantique, Marie d'Agoult* (Stock, 1980), Camille

Destouches, *La Passion de Marie d'Agoult* (Fayard, 1959), Charles Dupêchez, *Marie d'Agoult* (Plon, 1994, Perrin, 2001), Sarah Frydman, *Marie d'Agoult* (Sylvie Messinger, 1982), Marie-Octave Monod, *Daniel Stern, comtesse d'Agoult* (Plon, 1937), Daniel Ollivier, *Autour de Mme d'Agoult et de Liszt* (Grasset, 1941), Armand Pommier, *Madame la comtesse d'Agoult* (Dentu, 1867), ainsi que Jacques Vier, *La Comtesse d'Agoult et son temps* (Armand Colin, 1955-1962, six volumes). Mes remerciements vont à Bertrand et Caroline Duthoo, propriétaires du Manoir de Bourdigal dans le parc duquel est le caveau familial de Marie de Flavigny. J'ai plaisir à exprimer ma reconnaissance à Mme Claude Delage pour ses remarquables articles sur l'enfance de Marie à Monnaie et sur la vie de son frère Maurice. Ma gratitude s'adresse aussi à M. Stephen Goldstein, qui m'a ouvert les portes du château du Mortier.

Pour Franz Liszt, ont été consultés Robert Bory, *Une retraite romantique en Suisse, Liszt et la comtesse d'Agoult* (Spes, 1930), Roland de Candé, *La Vie selon Franz Liszt* (Seuil, 1998), Jean Chantavoine, *Les Maîtres de la musique, Liszt* (Librairie Félix Alcan 1920), Sylvie Delaigue-Moins, *Franz Liszt et George Sand « entre amour et amitié »* (Éditions Lancosme Multimédia, 2000), Bernard Gavoty, *Liszt, le virtuose* (Julliard, 1980), Serge Gut, *Franz Liszt, les éléments du langage musical* (Klincksieck, 1975), Émile Haraszti, *Franz Liszt* (Picard, 1967), Zsolt Harsanyi, *La vie de Liszt est un roman* (Babel, 1986, traduction de

Françoise Gal), Pierre-Antoine Huré et Claude Knepper, *Liszt et son temps* (Hachette, 1987), Vladimir Jankélévitch, *Liszt et la Rhapsodie, essai sur la virtuosité* (Plon, 1979), Guy de Pourtalès, *La Vie de Liszt* (Gallimard, 1941), Claude Rostand, *Liszt* (Seuil, 1977), Sacheverell Sitwell, *Liszt* (Dover Publications, Inc., 1955), Michel Sogny, *L'Admiration créatrice chez Liszt* (éditions Buchet-Chastel 1975), Remy Stricker, *Franz Liszt, les ténèbres de la gloire* (Gallimard, 1993), Jacques Vier, *Franz Liszt, l'artiste, le clerc* (Le Cèdre, 1951), Alan Walker, *Franz Liszt* (Faber and Faber, trois volumes, 1989) et Adrian Williams, *Portrait of Liszt by Himself and his Contemporaries* (Oxford University Press, 1990), ainsi que le numéro spécial de *La Revue musicale* consacré à Liszt (1986) et, dans *La Revue musicale* n° 292-293 – Jeanne Faure-Cousin et France Clidat : « Aux sources littéraires de Franz Liszt. »

Table des matières

Achevé d'imprimer par GGP Media GmbH, Pößneck
en mars 2008
pour le compte de France Loisirs,
Paris

N° d'éditeur : 51336
Dépôt légal : mars 2008

Imprimé en Allemagne